7세 자녀들의 한글 학습을 함께할 초능력 쌤입니다

초능력 쌤의 한글 글자 짜임 동영상 강의

선생님. 우리 아이에게 한글의 짜임 원리를 열심히 설명해 주는데, 아이가 전혀 이해를 못해요.

걱정하지 마세요. 지금부터 초능력 쌤인 제가 7세 자녀들의 눈높이에 맞춰 글자의 짜임 원리를 재미있게 설명해 줄 거예요.

우리 아이가 동영상 강의에 집중하지 못하면 어떡하죠?

7세 자녀들이 흥미를 가질 수 있도록 한글 카드로 원리를 설명하니 걱정하지 마세요. 그리고 7세 자녀들이 집중할 수 있는 시간에 맞게 짧고 쉽게 설명하고 있어요.

초능력 쌤~ 정말 감사합니다! 이제 우리 아이도 한글을 완벽하게 잘할 것 같아요.

7세 초능력 한글 무료 스마트러닝 접속 방법

방법 1

동아출판 홈페이지 **www.bookdonga.com**에 접속하면 7세 초능력 한글 무료 스마트러닝을 이용할 수 있습니다.

방법 2

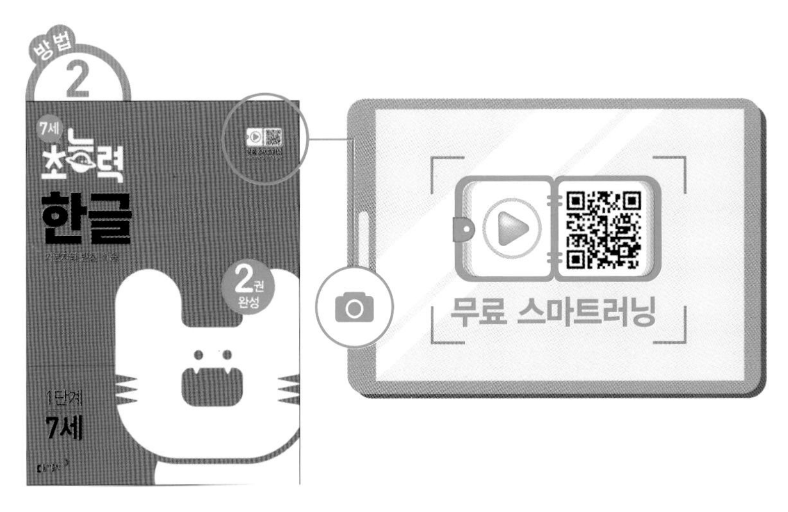

핸드폰이나 태블릿으로 **교재 표지나 본문에 있는 QR코드**를 찍으면 무료 스마트러닝에서 글자 짜임 동영상 강의를 이용할 수 있습니다.

초능력 쌤과 키우자, 공부힘!

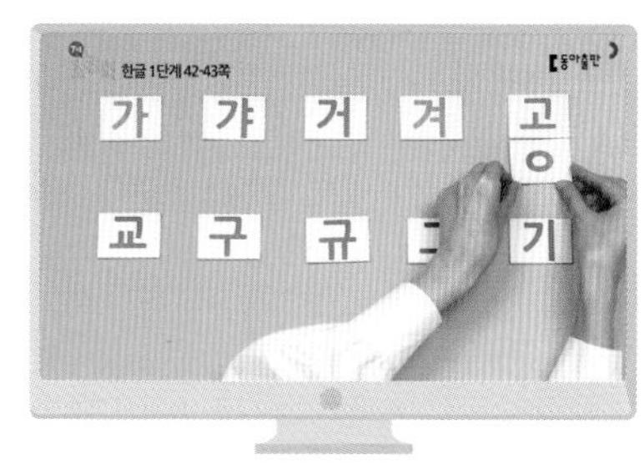

한글 | 글자의 짜임 강의

- 글자 카드를 활용하여 쉽고 재미있게 한글 원리 강의
- 받침과 쌍자음, 복잡한 모음이 들어간 글자 짜임 방식 완벽 이해

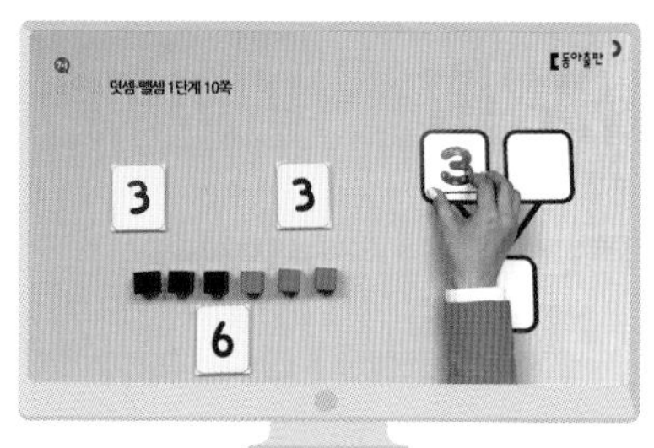

덧셈·뺄셈 | 개념 활동 강의

- 그림과 교구를 활용한 활동으로 덧셈·뺄셈 원리 강의
- 구체물을 활용한 짧고 쉬운 설명으로 덧셈·뺄셈 문제 완벽 이해

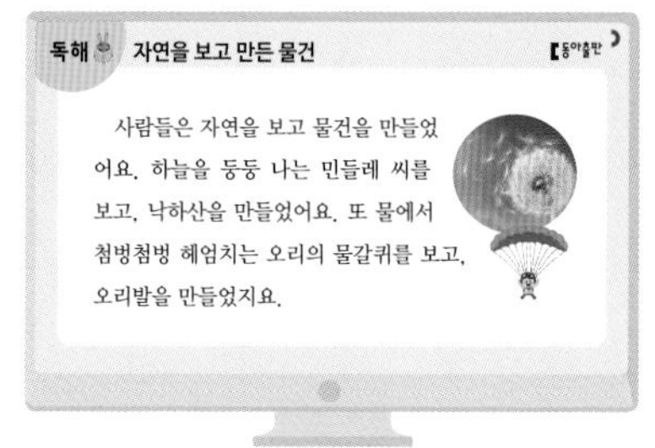

유아 독해 | 비디오북

- 생활 글 전 지문, 동화 전체 수록 작품 비디오북 제공
- 비디오북을 보며 글에 집중하여 따라 읽고 독해력 향상

도형·비교·시계·규칙 | 개념 활동 강의

- 그림과 교구를 활용한 활동으로 도형·비교·시계·규칙 원리 강의
- 구체물을 활용한 짧고 쉬운 설명으로 도형·비교·시계·규칙 문제 완벽 이해

놀이 한자 | 한자 챈트

- 그림으로 상형 문자인 기초 한자를 생생하게 이해
- 한자의 모양·뜻·소리를 동시에 효과적으로 학습

엄마랑 둘이 학습하는 한글 쓰기 / 창의력·집중력

- **한글 쓰기** 실생활에서 많이 쓰이는 132개 낱말의 짜임과 순서를 자세하고 쉽게 이해
- **창의력·집중력** 7세의 창의력과 집중력을 동시에 향상시킬 수 있는 두뇌 계발 교재

7세

초능력 한글

기본자와 받침 학습

1단계

7세

7세 아이의 한글 학습은 어떻게 해야 할까요?

Q.

"7세인데 아직 기본 모음, 자음만 알아요."

이제 일 년만 있으면 학교에 가야 하는데 기본 모음, 자음만 알아요. 글을 읽을 때 받침이나 쌍자음이 나오면 대강 아는 글자만 더듬더듬 읽고, 쓰는 건 전혀 시도도 안 하려고 해요. 그러다 보니 재미있어 보이는 이야기책이 있어도 그림만 보고 넘기거나 스스로 읽을 생각을 하지 않아서 큰일이에요. 일상생활에서 볼 수 있는 글자들을 함께 읽어 보려고 해도 중간에 모르는 글자가 나오면 금세 포기해요. 학교에 가면 읽기도 하고 받아쓰기도 할 텐데 한글 공부의 자신감을 잃어버리지는 않을까 걱정이 되네요.

6세 때부터 서점에서 몇 권으로 되어 있는 세트를 사서 한글 공부를 시켰어요. 그런데 쉬운 내용이 있는 1권만 겨우 따라서 하더니 2권부터는 지겨워서 전혀 하려고 하지를 않아요.

한글을 다 뗐다고 생각했어요. 글을 잘 읽었거든요. 학교 입학하기 전에 받아쓰기 연습을 미리 하려고 시켜 봤는데 받침과 복잡한 모음 부분은 다 틀리더라고요. 이제 와서 한글 책을 다시 사기는 아까운데 어떻게 해야 하나 고민이에요.

A.

“7세에 맞는 한글 학습 방법을 알려 드릴게요.”

7세 아이의 한글 수준은 매우 다양해요. 한글의 기본 모음, 자음만 알고 있는 아이가 있는 반면, 짧은 동화를 스스로 읽고 한두 줄의 감상문을 쓰는 아이도 있어요. 그러나 한글을 잘 알고 있다고 생각했던 아이들도 받침이 있는 글자나 복잡한 모음, 쌍자음 등을 적용한 글자를 읽고 쓰는 것은 어려워하는 경우가 많습니다. 결국 한글을 뗐느냐 못 뗐느냐는 이러한 받침과 복잡한 모음, 쌍자음을 얼마나 잘 알고 쓸 수 있느냐에 달려 있다고 해도 과언이 아니에요. 그러니 교재를 선택하실 때에도 그 부분이 얼마나 자세하고 알기 쉽게 제시되어 있는지 확인하셔야 해요.

또한 아이가 한글의 자모음을 잘 모른다고 해서 무작정 5세나 6세 수준의 기초 한글 교재부터 다시 보게 한다면, 7세 아이 입장에서는 거부감을 느낄 수도 있어요. 7세에 알맞은 교재를 선택하는 것이 중요하답니다.

7세는 글자만 아는 것으로는 부족해요. 글자가 활용된 글을 읽고 내용을 정확하게 파악하게 하는 활동도 필요해요. 바로 독해의 기초 소양을 기르는 것이지요. 이를 아래처럼 단계적으로 나타낼 수 있겠네요.

❶ 글자 모양 익히기
받침, 복잡한 모음, 쌍자음 글자의 모양과 짜임 원리를 알아봅니다.

❷ 낱말로 확인하기
실제로 글자가 들어간 낱말을 그림과 함께 보면서 글자를 익힙니다.

❸ 글을 읽으며 완벽히 알기
낱말을 익힌 후에는 문장, 짧은 글에 적용함으로써 종합적인 국어 학습에 흥미를 가지게 합니다.

7세

초능력 한글은 이런 점이 좋아요!

1. 훈민정음 창제 원리에 따른 학습 방식!

한글이라는 이름으로 더 익숙한 훈민정음은 자음자 열네 자와 모음자 열 자로 이루어져 있습니다. 훈민정음은 "가", "나", "다"로 창제된 것이 아니라 각각의 낱글자인 "ㄱ", "ㄴ", "ㄷ", "ㅏ"와 같이 창제되었기 때문에 이와 같은 창제 원리에 따라 익히는 것이 가장 효과적입니다. 훈민정음은 과학적인 글자이기 때문에 모음과 자음을 배우면 바로 소리를 읽을 수 있고, "강", "감"과 같이 자음과 모음이 결합한 글자를 읽으며 뜻을 알 수 있습니다.

2. 7세에게 꼭 필요한 부분을 7세에 맞게!

7세 수준에서 이미 알고 있거나 7세 수준에서 금방 익힐 수 있는 기본 모음과 자음을 쉽고 간단하게 정리하였습니다. 그리고 받침, 복잡한 모음, 쌍자음 등 7세에게 꼭 필요한 부분을 뽑아서 1단계 "받침", 2단계 "복잡한 모음과 쌍자음"으로 구성하였습니다.

3. 글자부터 글까지, 통합 학습이 가능!

먼저 글자를 익히고, 글자의 짜임을 학습한 뒤, 글자가 들어간 낱말을 배웁니다. 그리고 마지막으로 이러한 낱말이 쓰인 문장들이 있는 이야기를 읽으면서 자연스럽게 글자 익히기에서 짧은 글 독해까지 통합 학습을 할 수 있습니다.

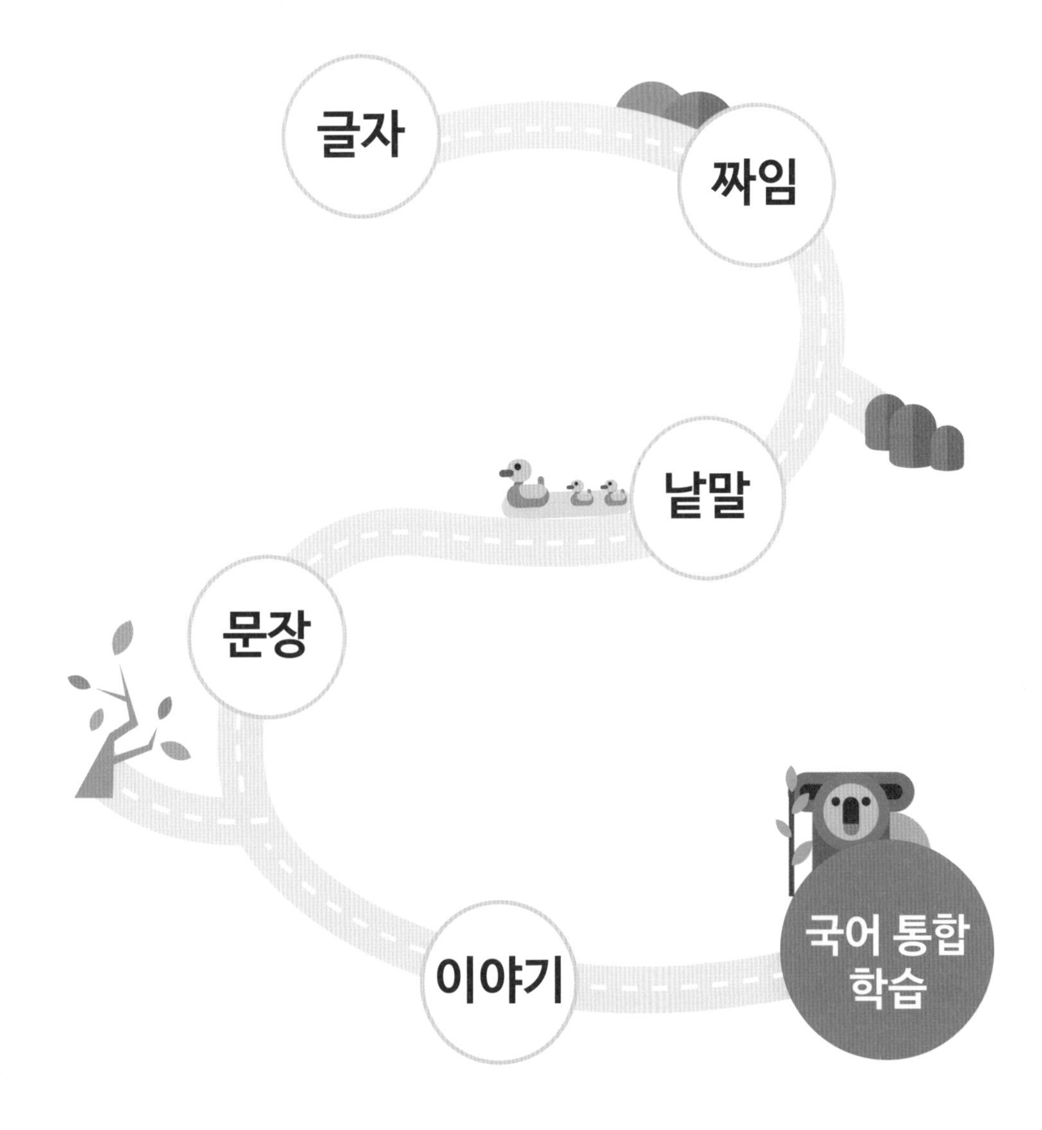

7세 초능력 한글의 구성과 활용법

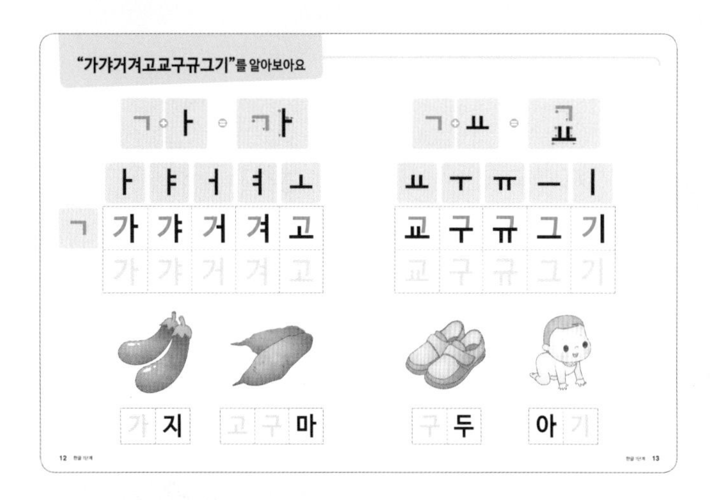

기본 자음과 모음

기본 자음과 모음을 쉽고 빠르게 익힐 수 있습니다.

1 글자의 모양을 알아요

재미있는 활동을 통해 글자를 친근하게 받아들일 수 있습니다.

2 글자의 짜임을 익혀요

낱글자끼리 합쳐져서 글자가 만들어지는 짜임 방법을 한눈에 볼 수 있습니다.

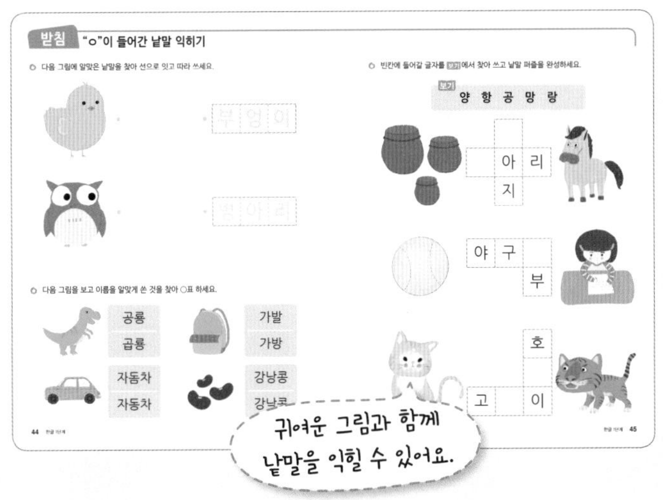

3 글자가 들어간 낱말을 익혀요

선 긋기, 퍼즐, 틀린 글자 찾기 등 다양한 유형의 활동을 통해 글자를 정확히 익히고 낱말 학습을 할 수 있습니다.

4 글자가 들어간 낱말이 있는 이야기를 읽어요

글자가 들어간 낱말로 쓰인 짧은 이야기를 읽고 내용을 파악하는 활동을 하면서 독해의 기초를 다질 수 있습니다.

7세 초능력 한글의 차례

기본 모음과 자음

기본 모음 10쪽

기본 자음 12쪽

받침 있는 글자

받침 "ㅇ" 40쪽

받침 "ㅁ" 48쪽

받침 "ㄴ" 56쪽

받침 "ㄹ" 64쪽

받침 "ㄱ" 72쪽

받침 "ㅂ" 80쪽

받침 "ㅅ" 88쪽

받침 "ㄷ", "ㅈ", "ㅊ" 96쪽

받침 "ㅋ", "ㅌ", "ㅍ", "ㅎ" 104쪽

기본 모음·자음

"아야어여오요우유으이"를 알아보아요

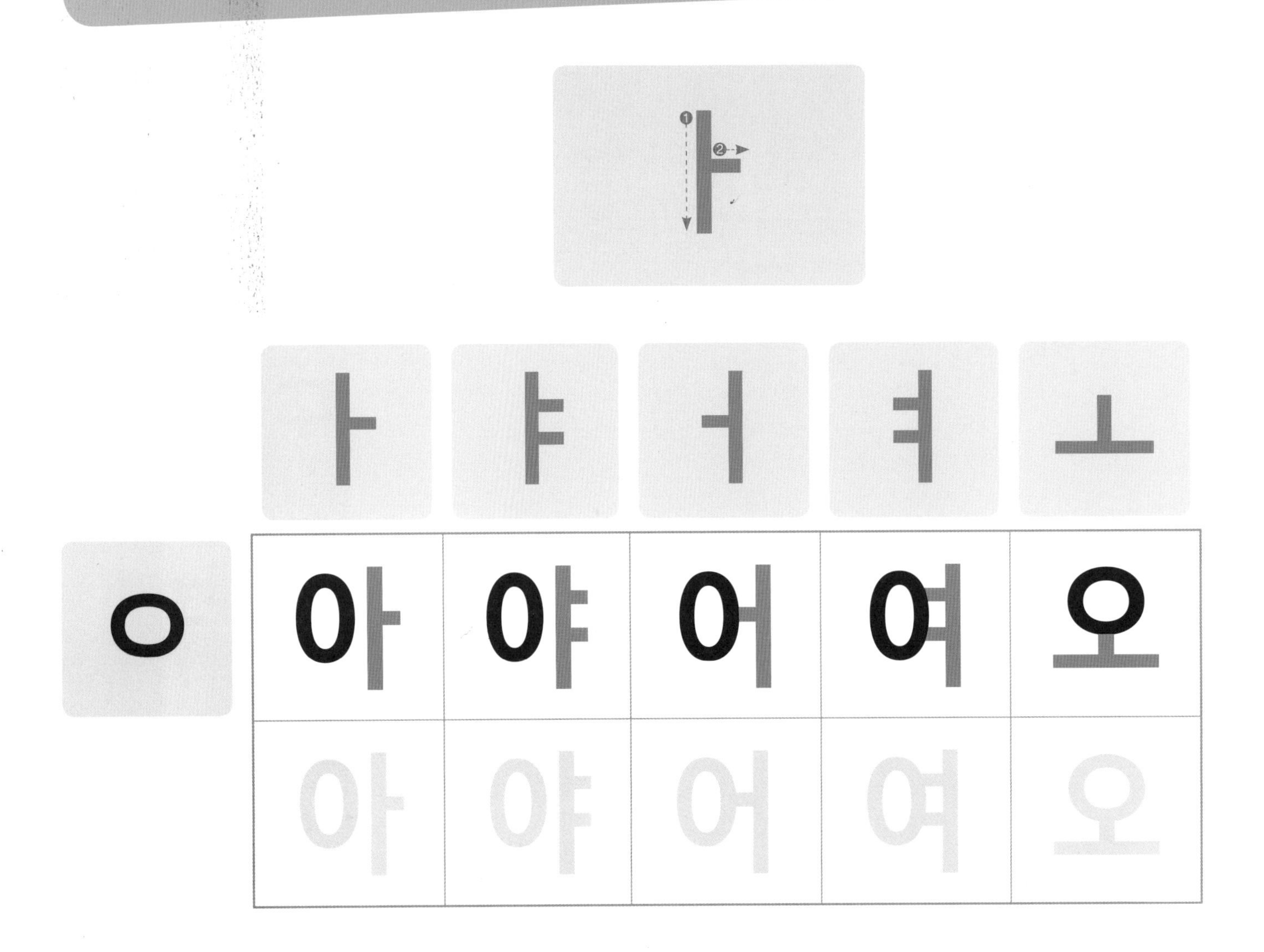

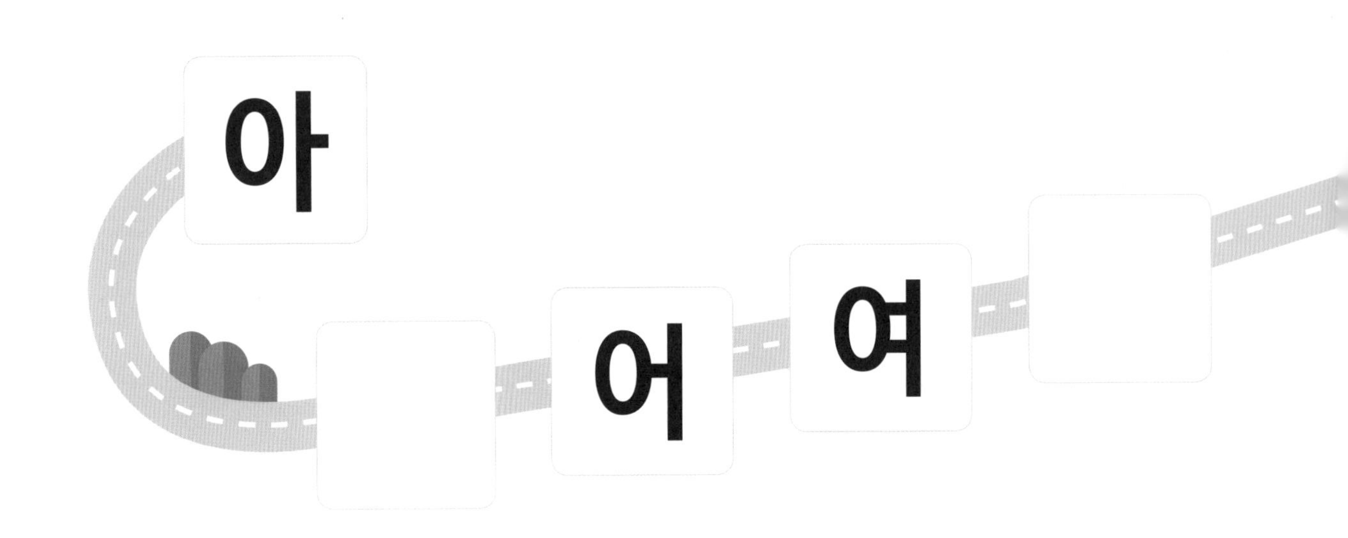

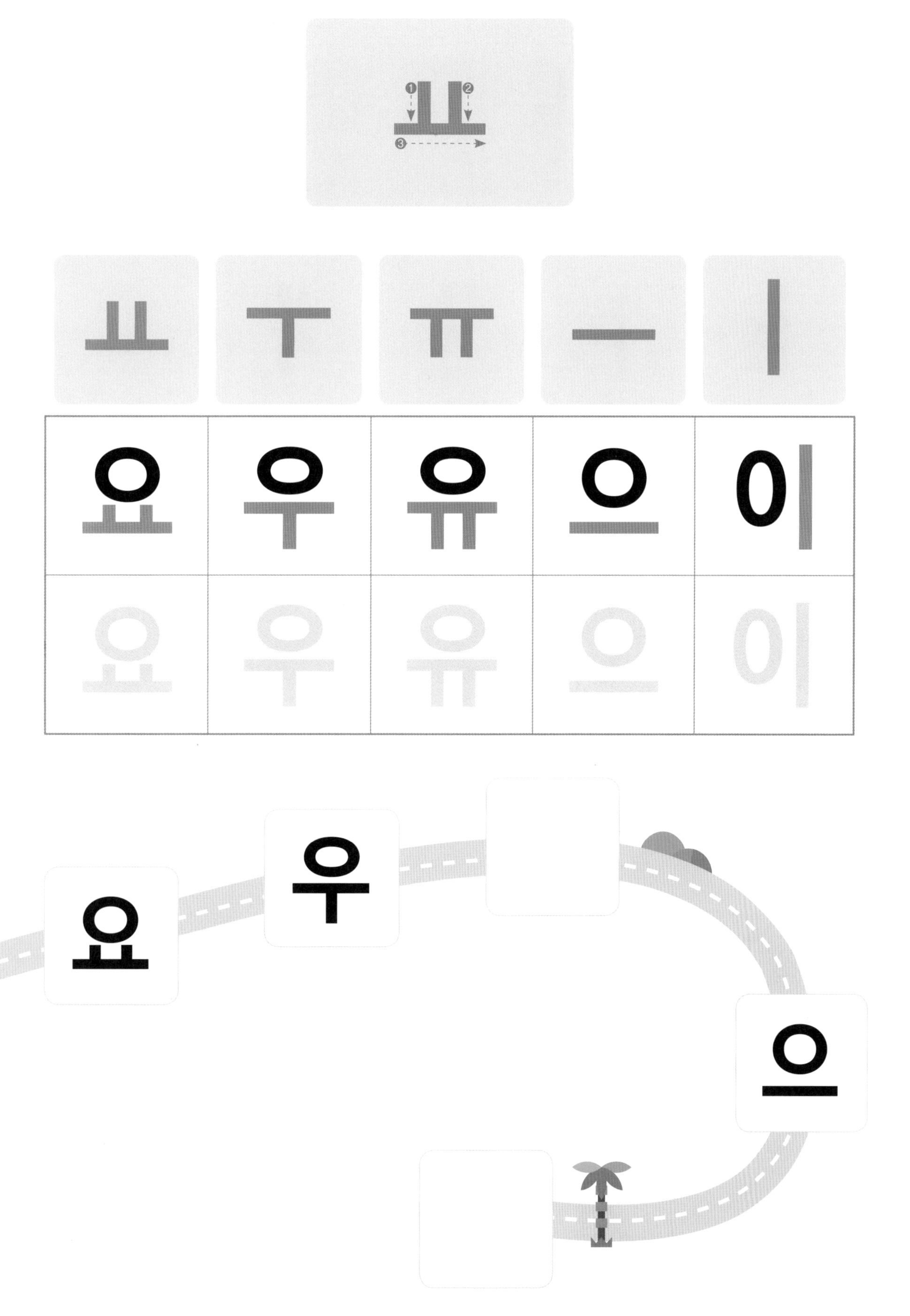
ㅛ
ㅛ ㅜ ㅠ ㅡ ㅣ
요 우 유 으 이
요 우 유 으 이
요
우
으

"가갸거겨고교구규그기"를 알아보아요

가	지

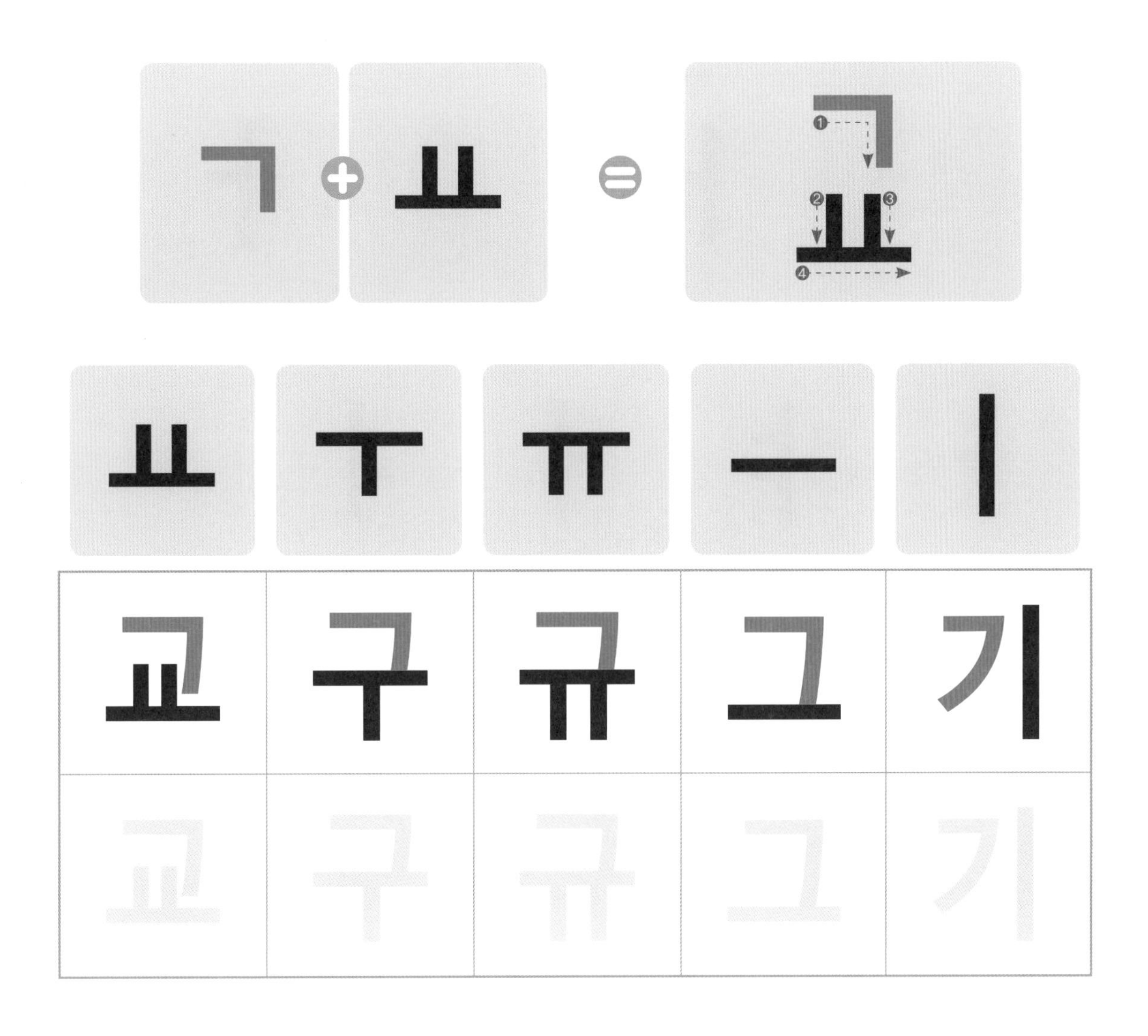

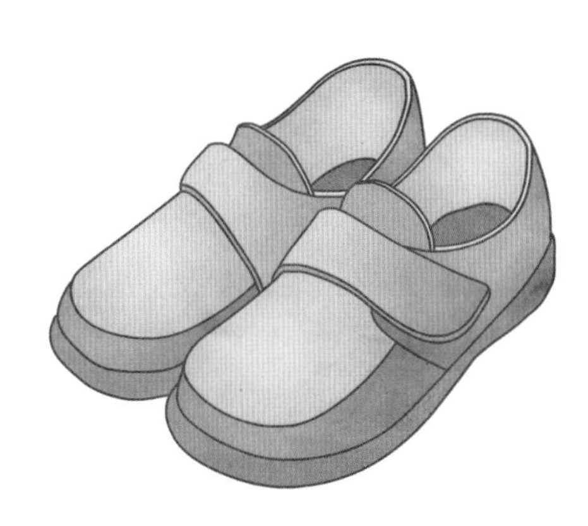

아기

"나냐너녀노뇨누뉴느니"를 알아보아요

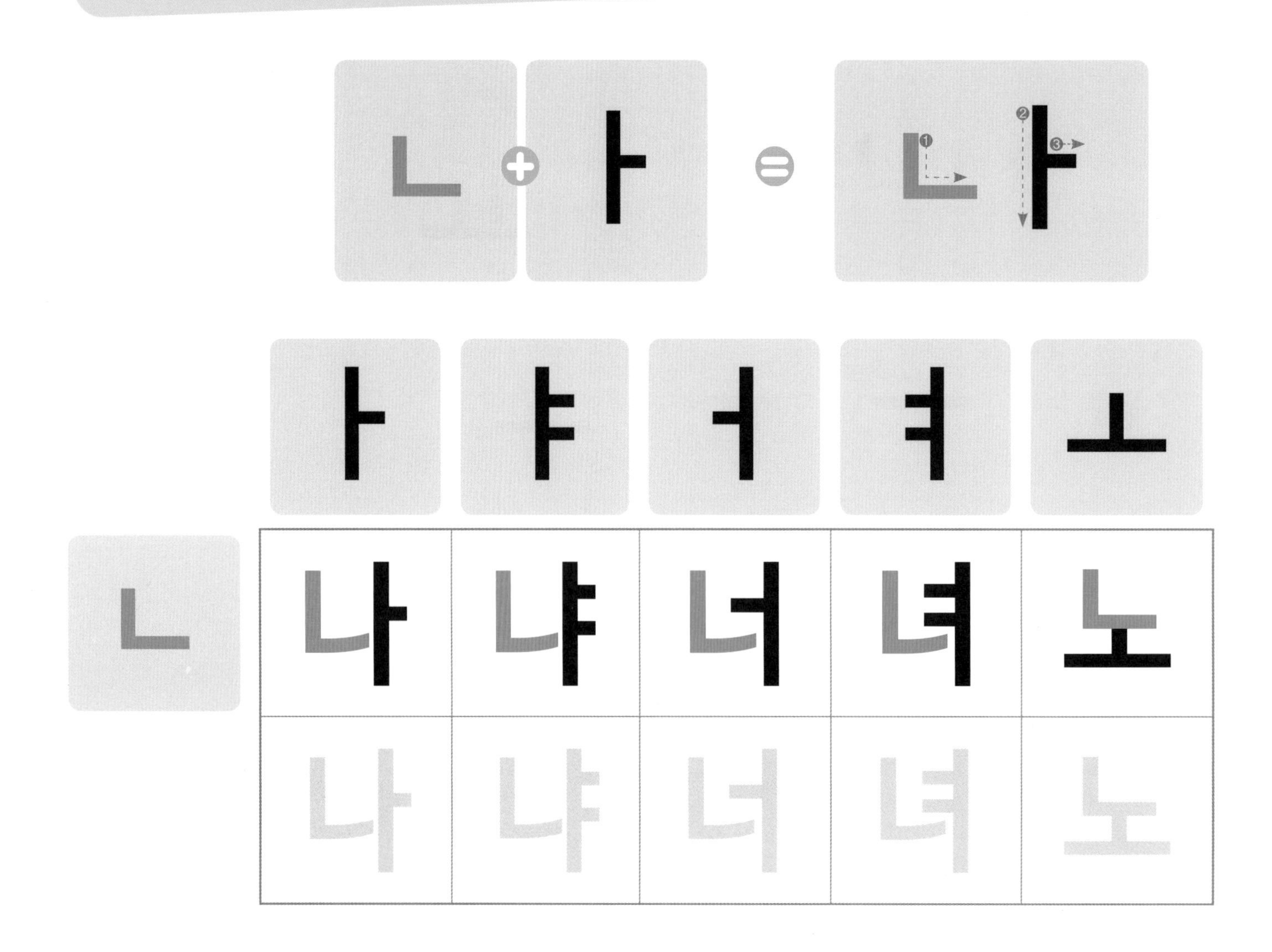

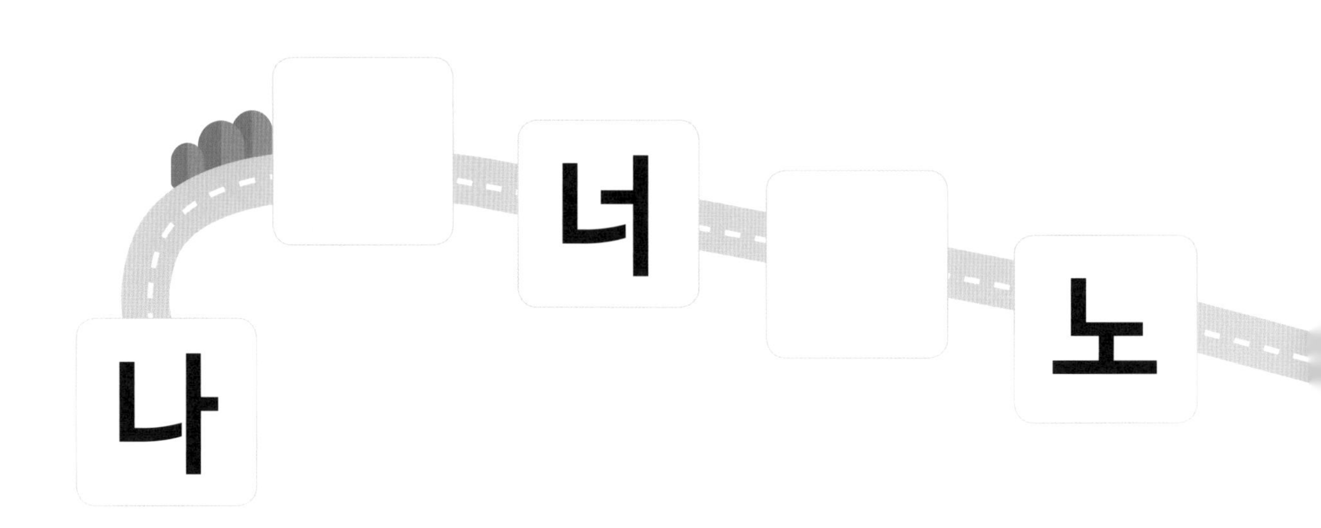

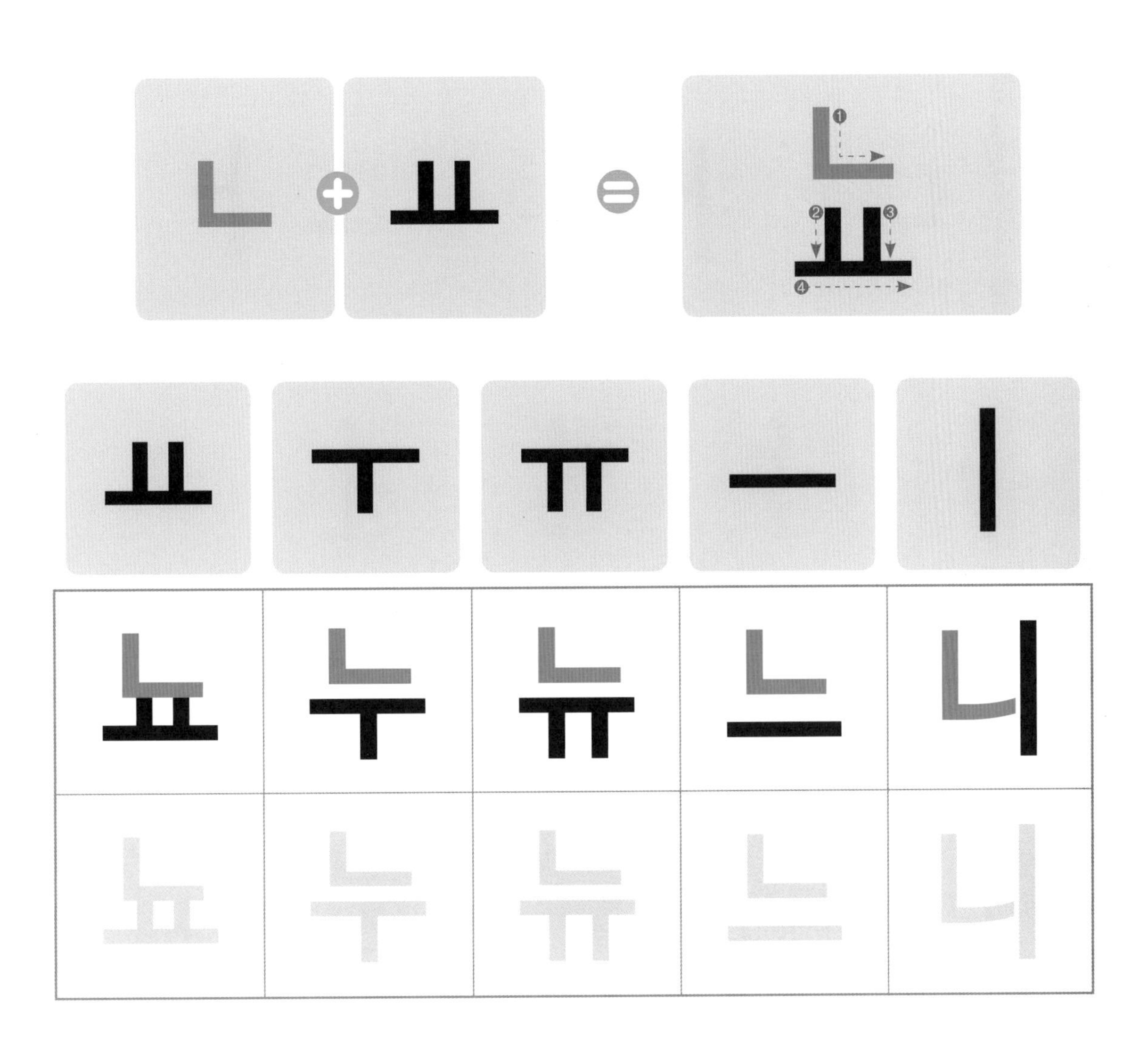

ㄴ
ㅛ
ㅛ
ㅜ
ㅠ
ㅡ
ㅣ
뇨 누 뉴 느 니
뇨 누 뉴 느 니

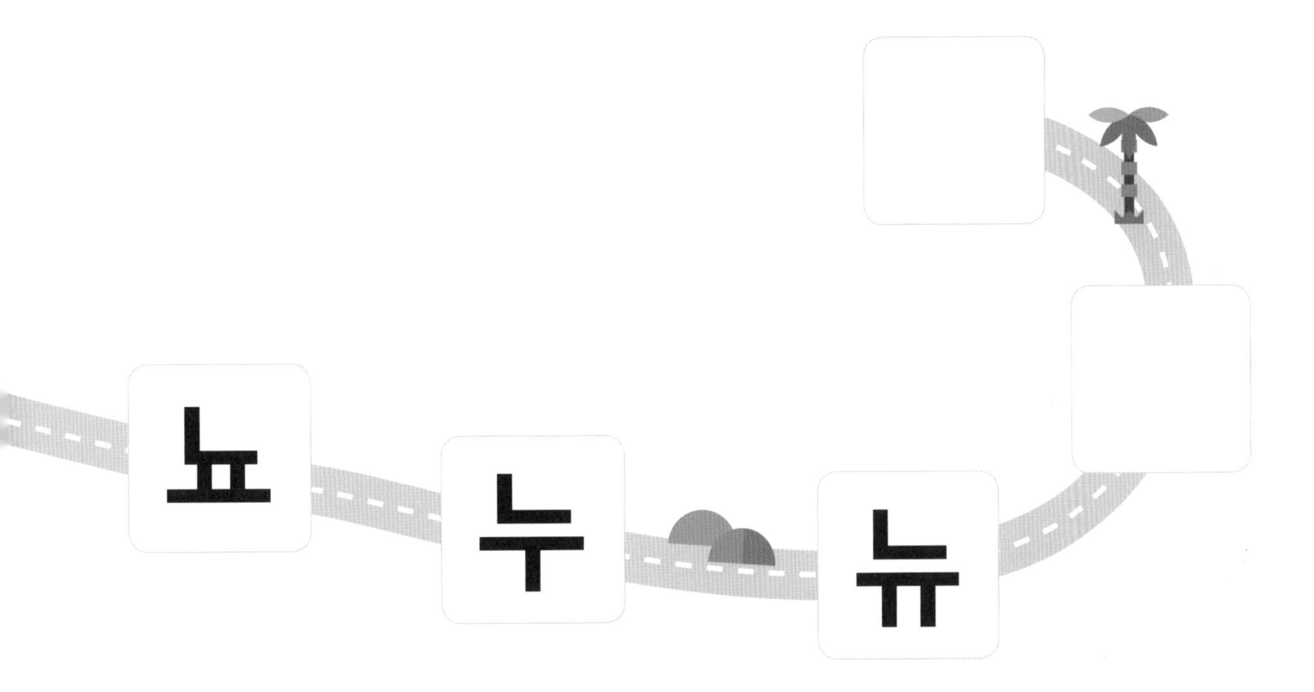

뇨
누
뉴

"다댜더뎌도됴두듀드디"를 알아보아요

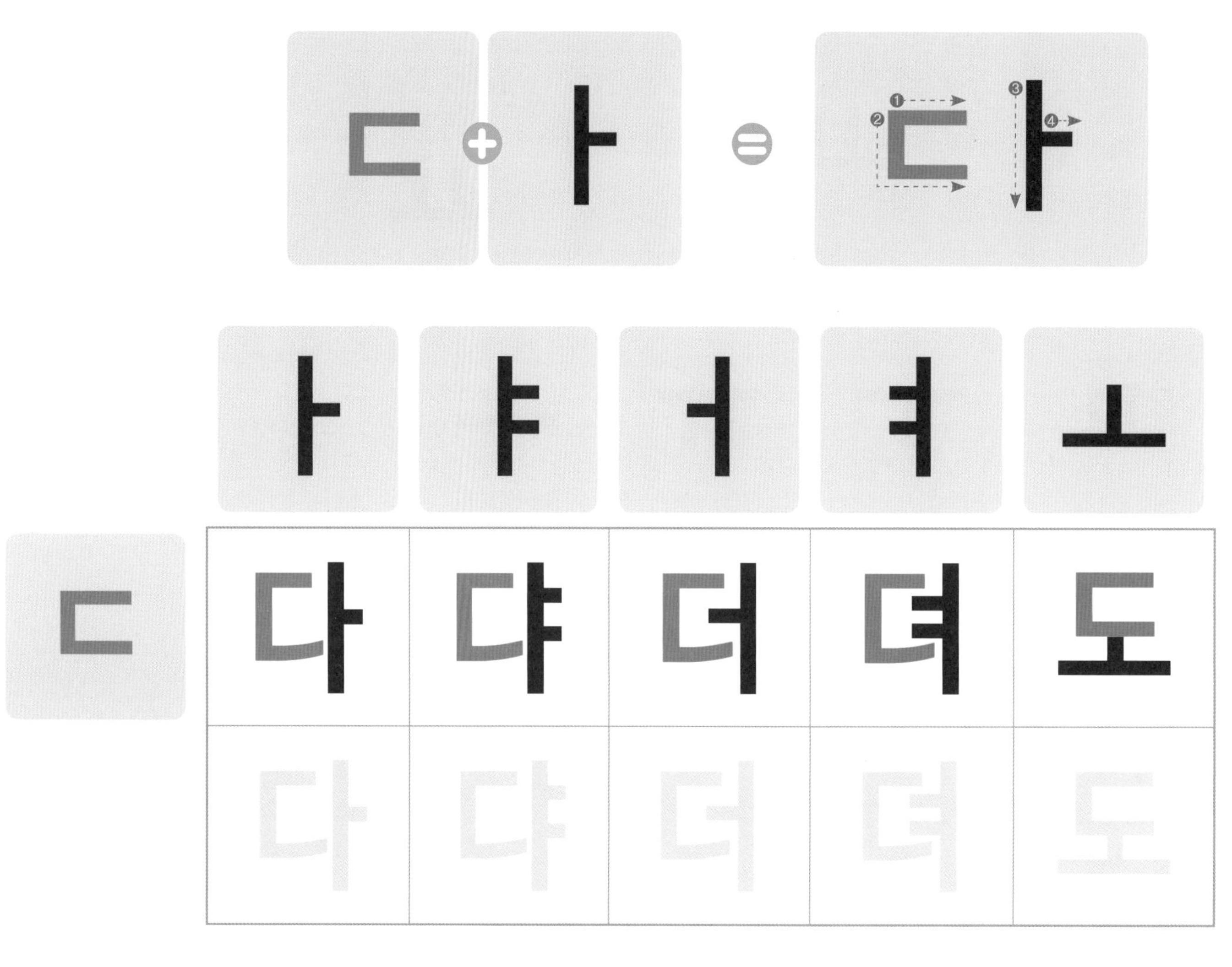

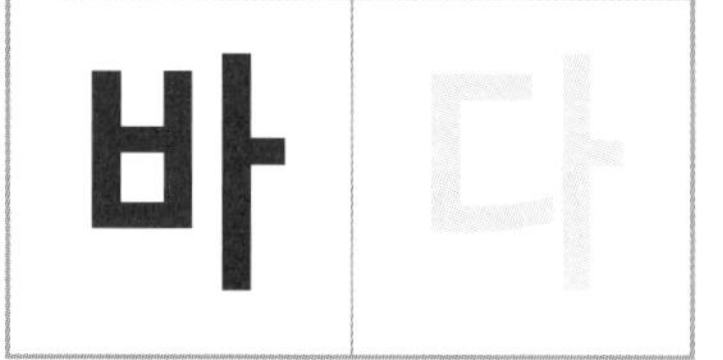

포 도

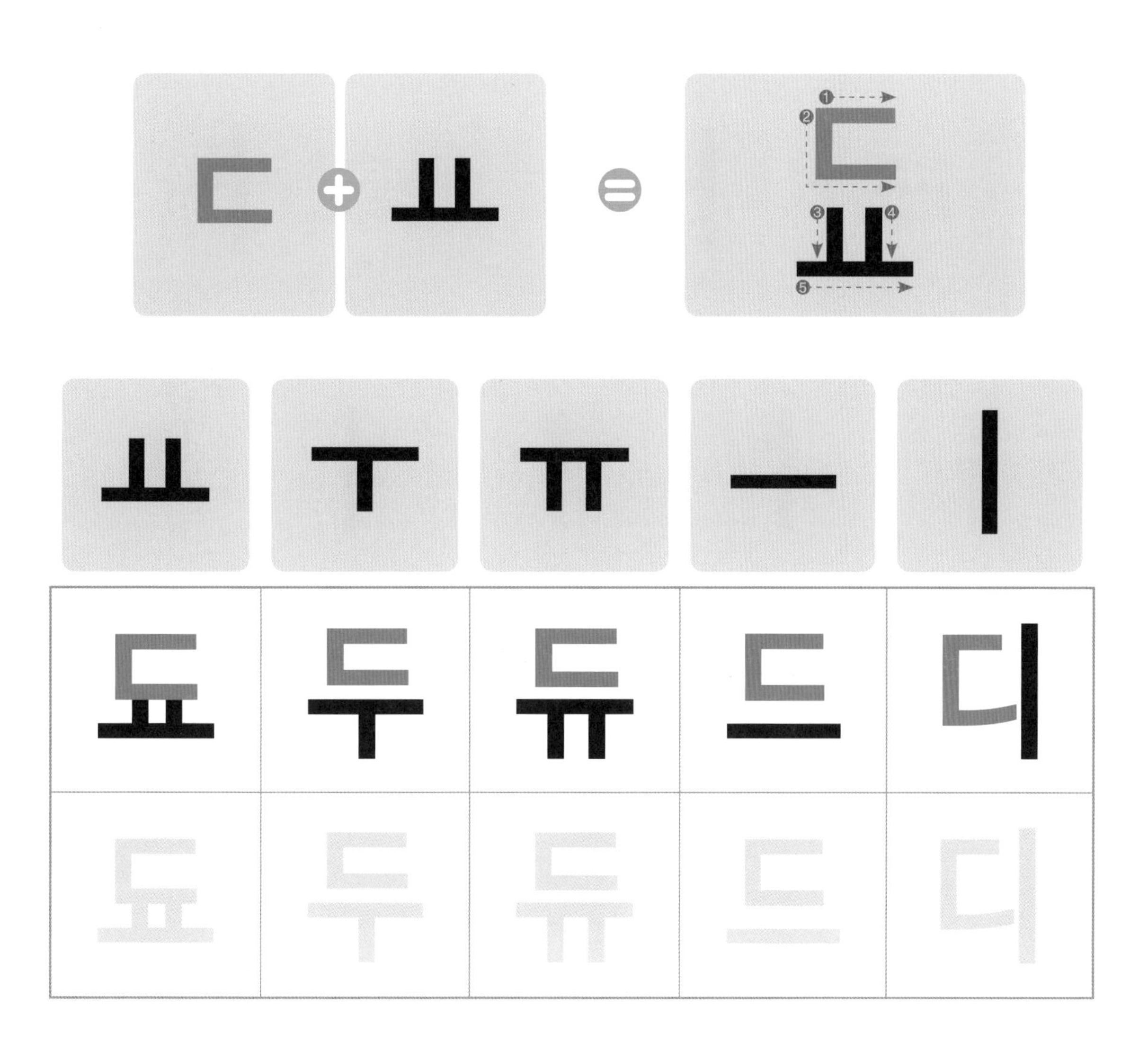

두	더	지

라	디	오

"라랴러려로료루류르리"를 알아보아요

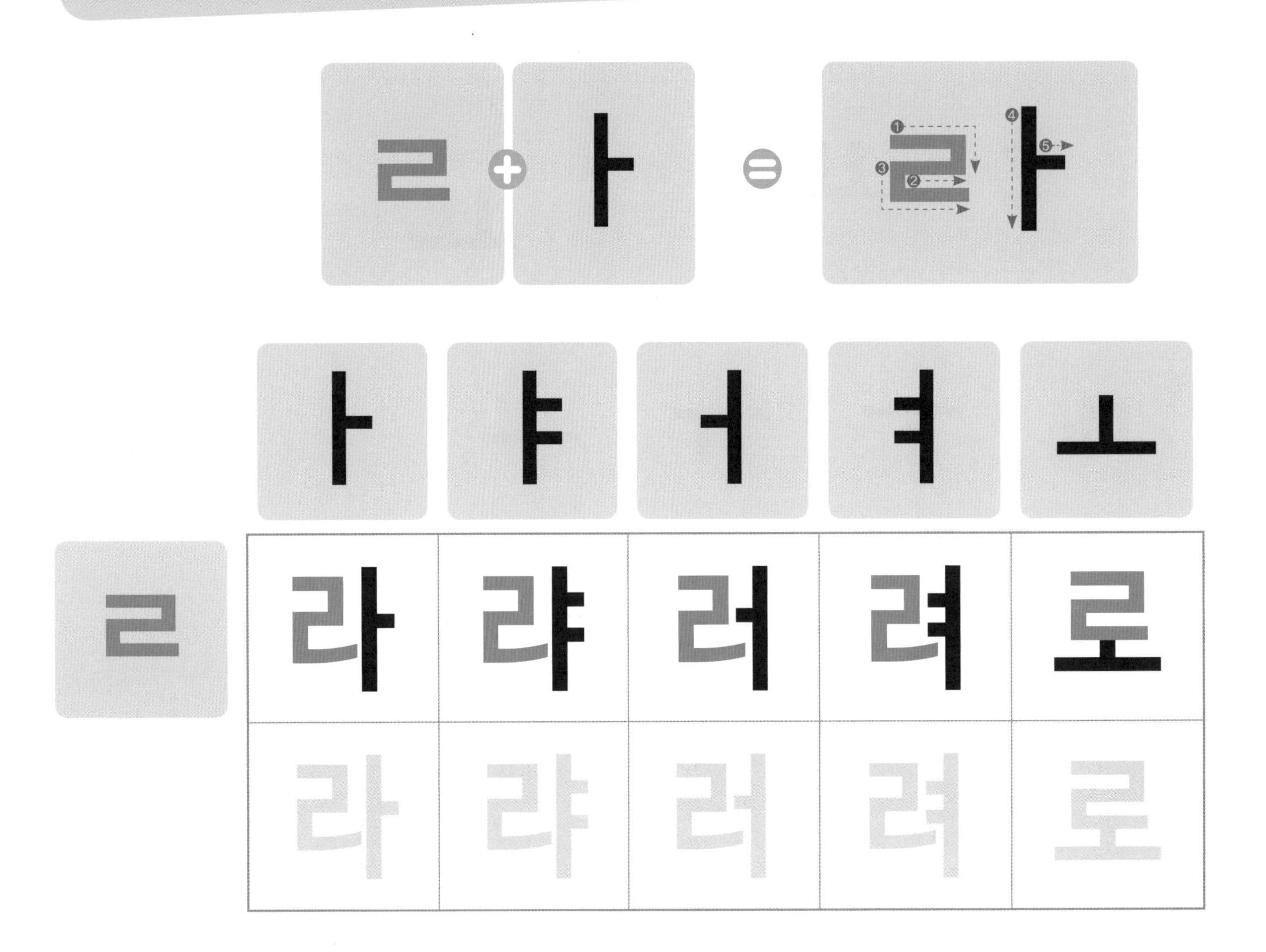

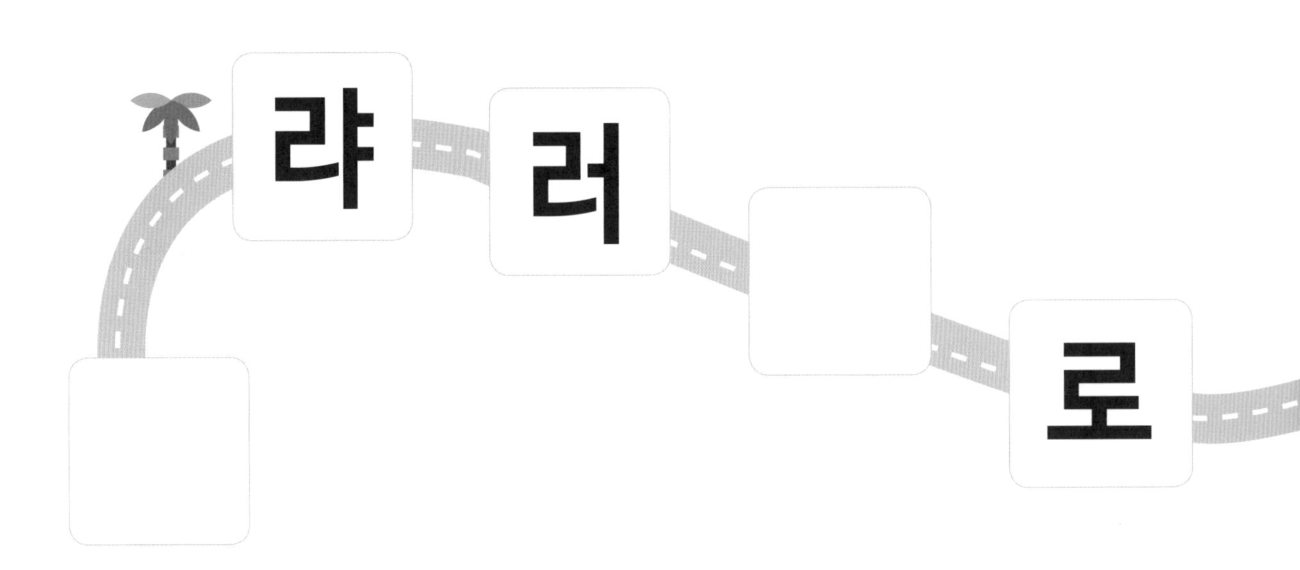

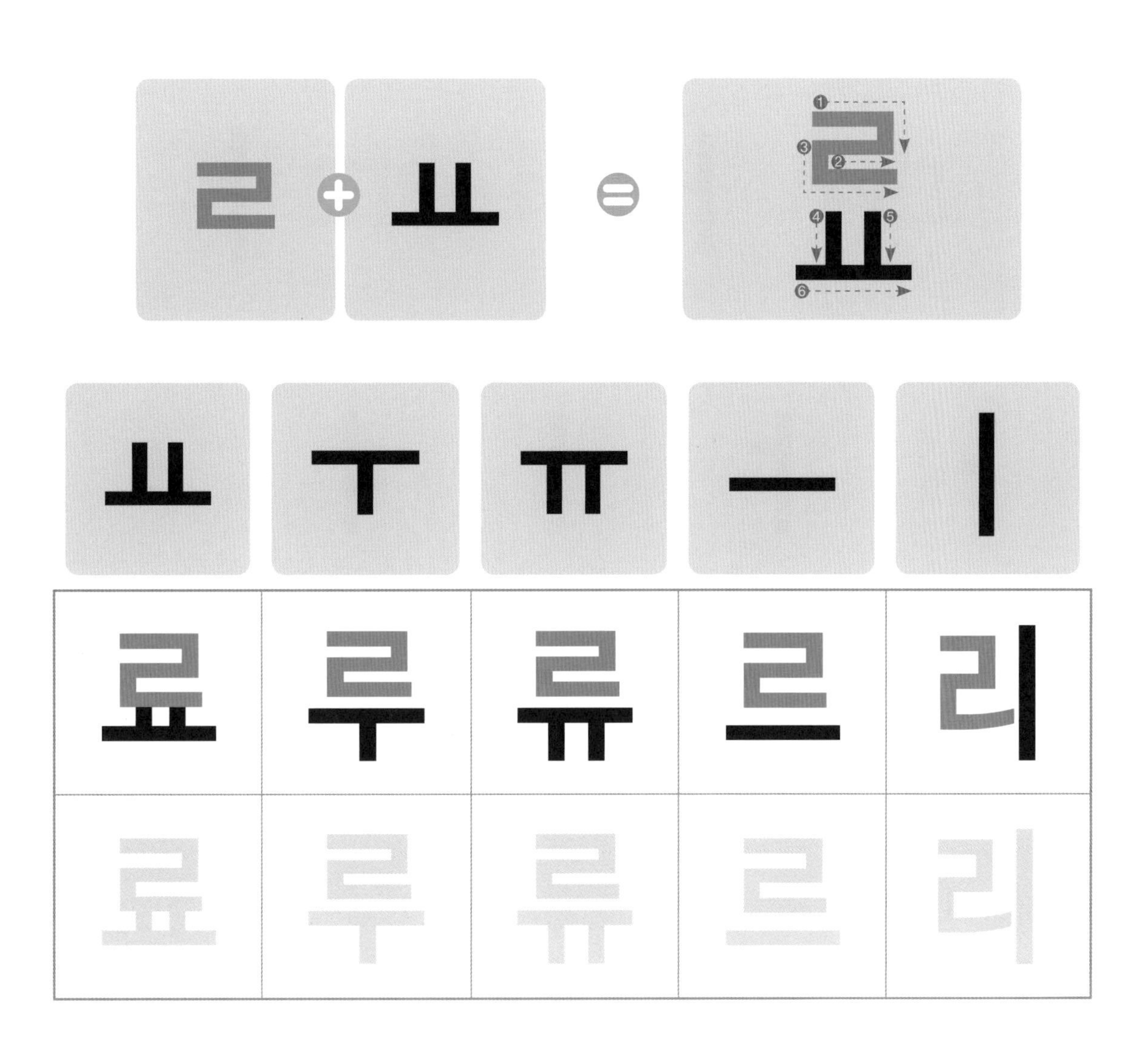
ㄹ + ㅛ = 료
ㅛ ㅜ ㅠ ㅡ ㅣ
료 루 류 르 리
료 루 류 르 리

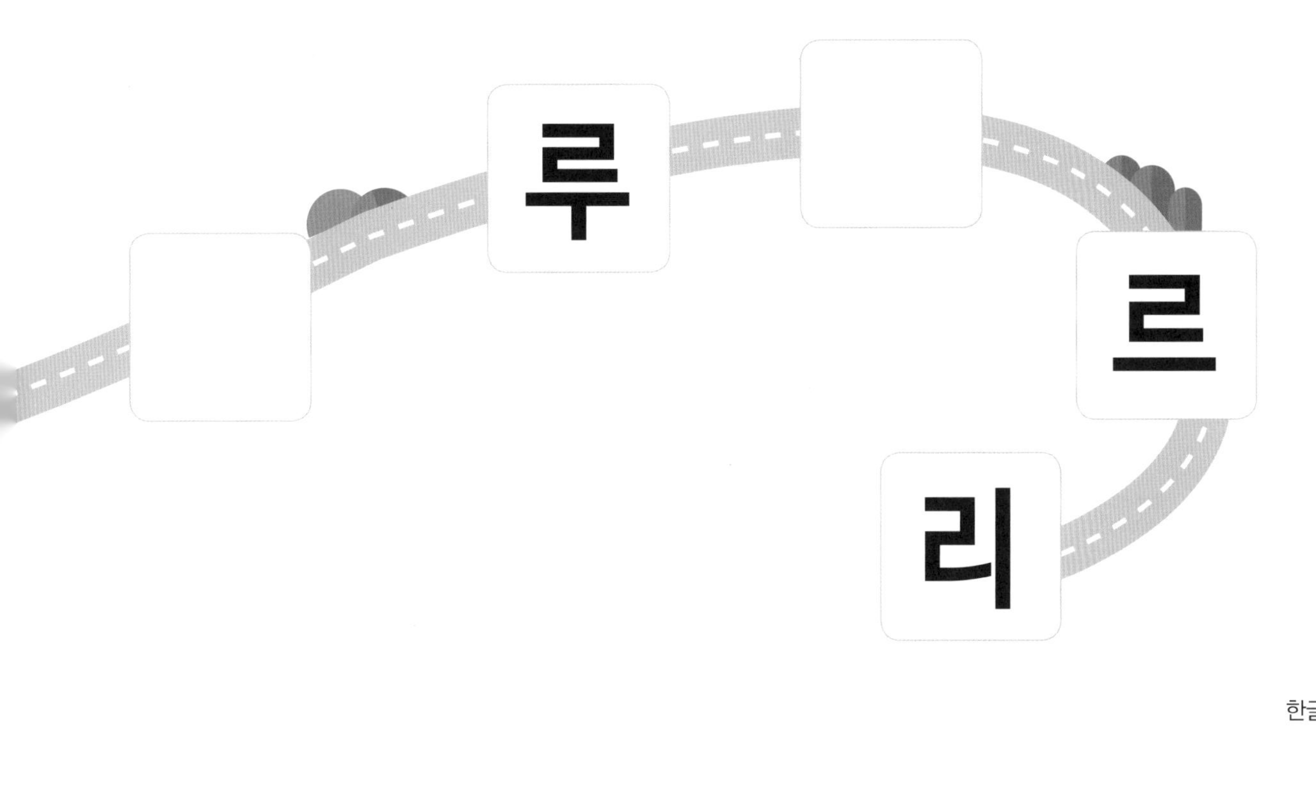
루
르
리

"마먀머며모묘무뮤므미"를 알아보아요

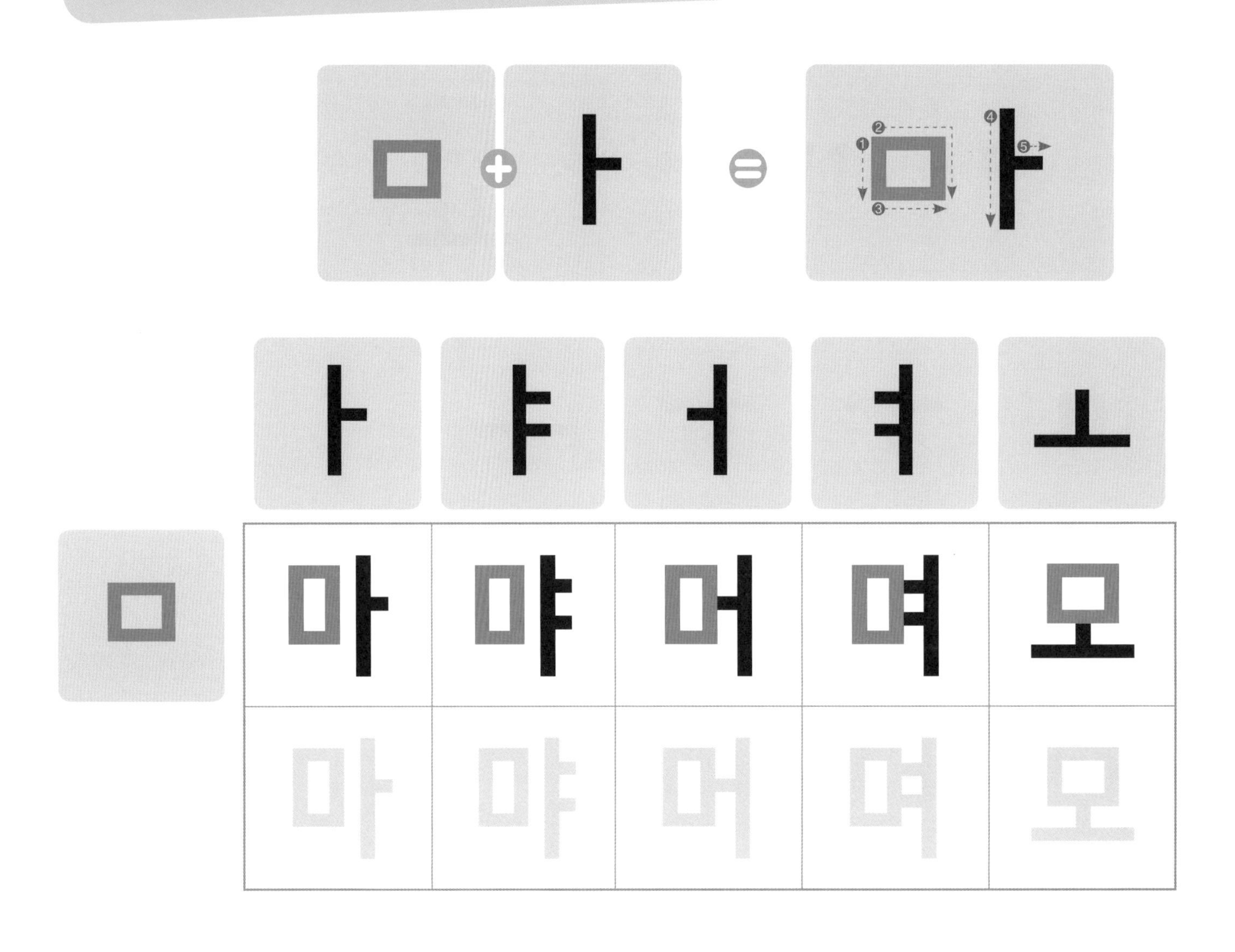

	ㅏ	ㅑ	ㅓ	ㅕ	ㅗ
ㅁ	마	먀	머	며	모
	마	먀	머	며	모

토	마	토

모	자

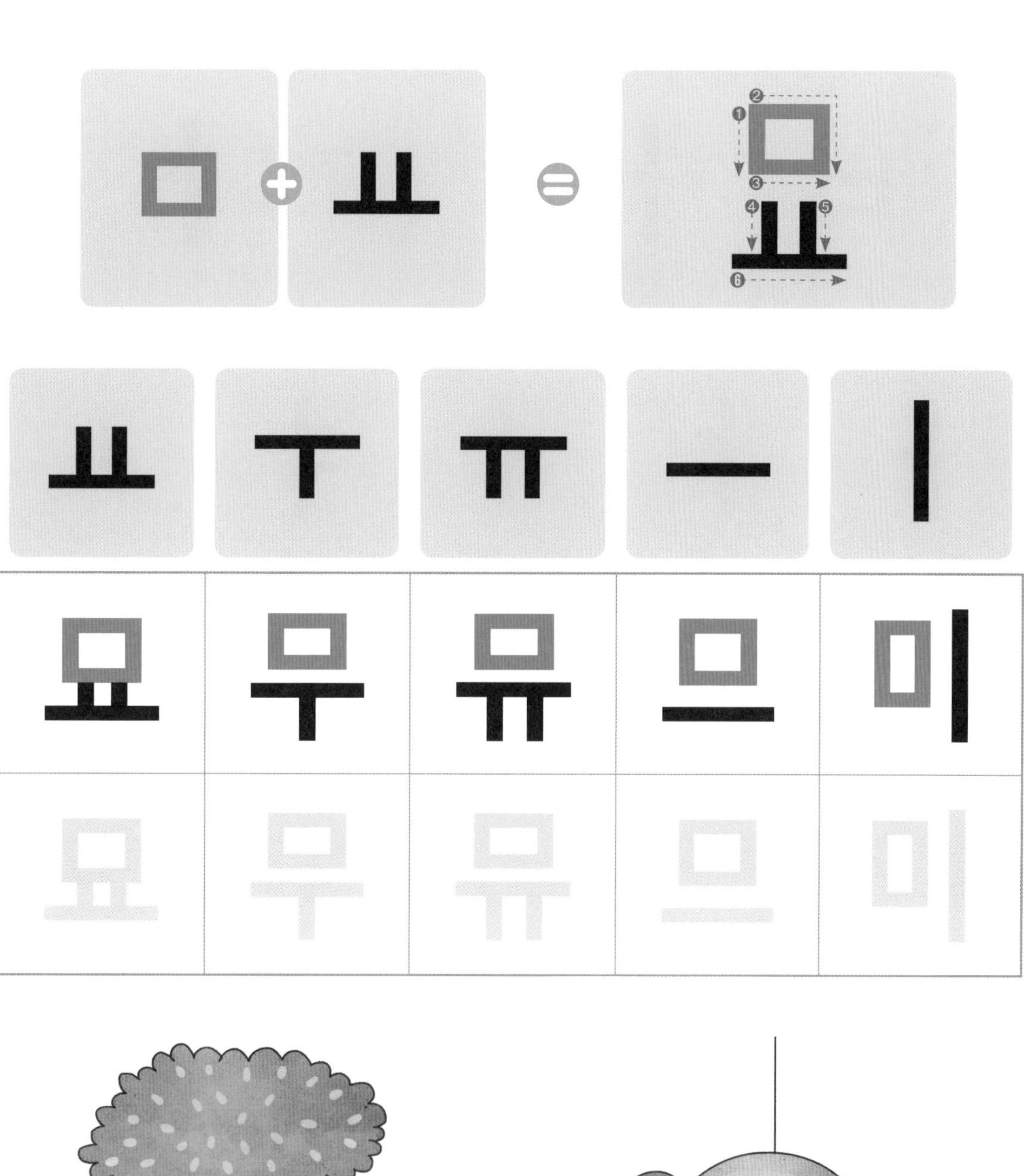

묘	무	뮤	므	미
묘	무	뮤	므	미

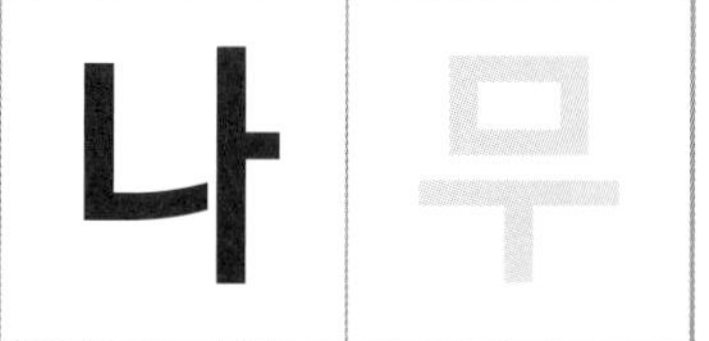

거 미

“바뱌버벼보뵤부뷰브비”를 알아보아요

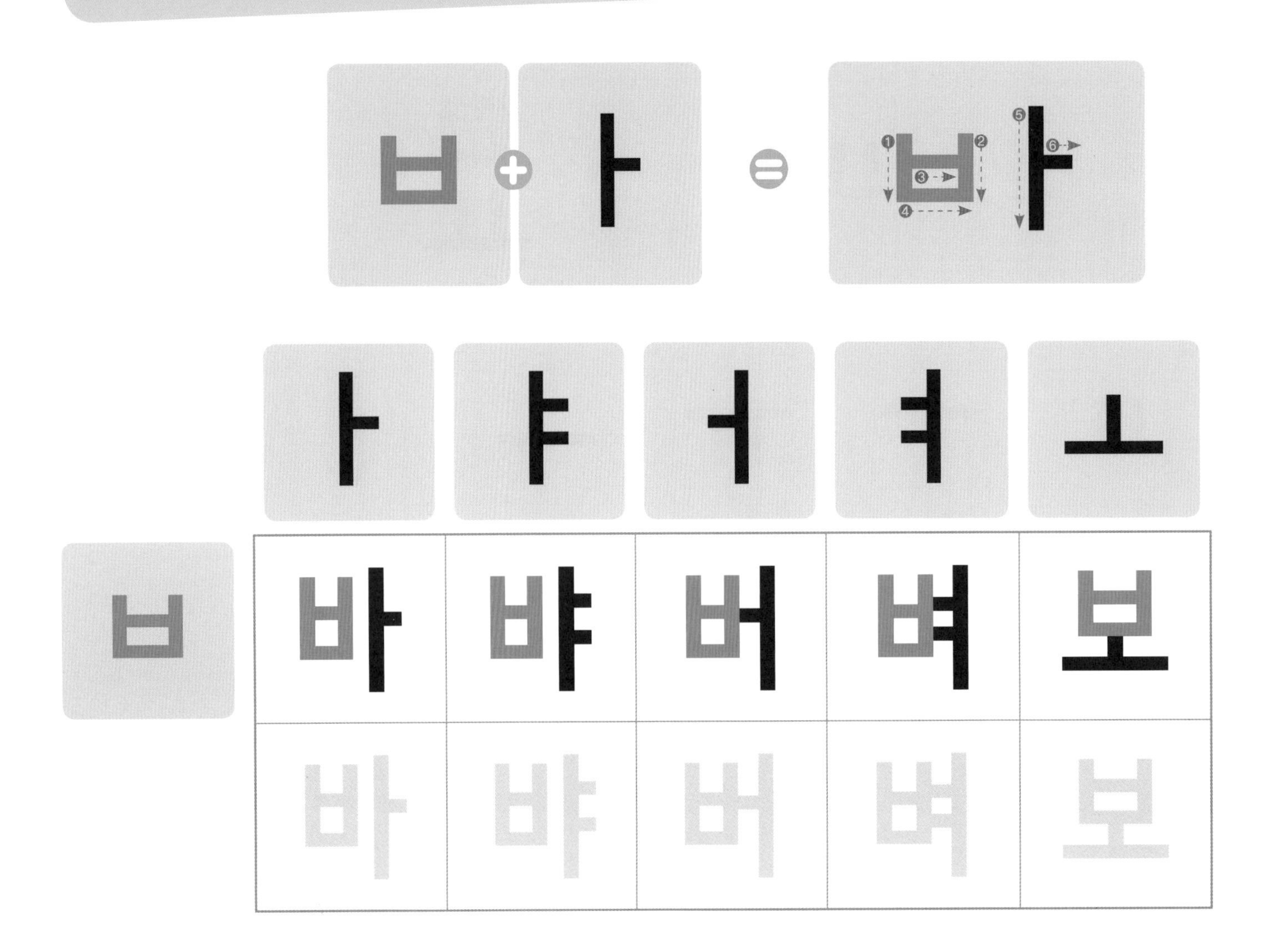

ㅂ + ㅛ = 뵤
ㅛ ㅜ ㅠ ㅡ ㅣ
뵤 부 뷰 브 비
뵤 부 뷰 브 비
부
뷰
브

"사샤서셔소쇼수슈스시"를 알아보아요

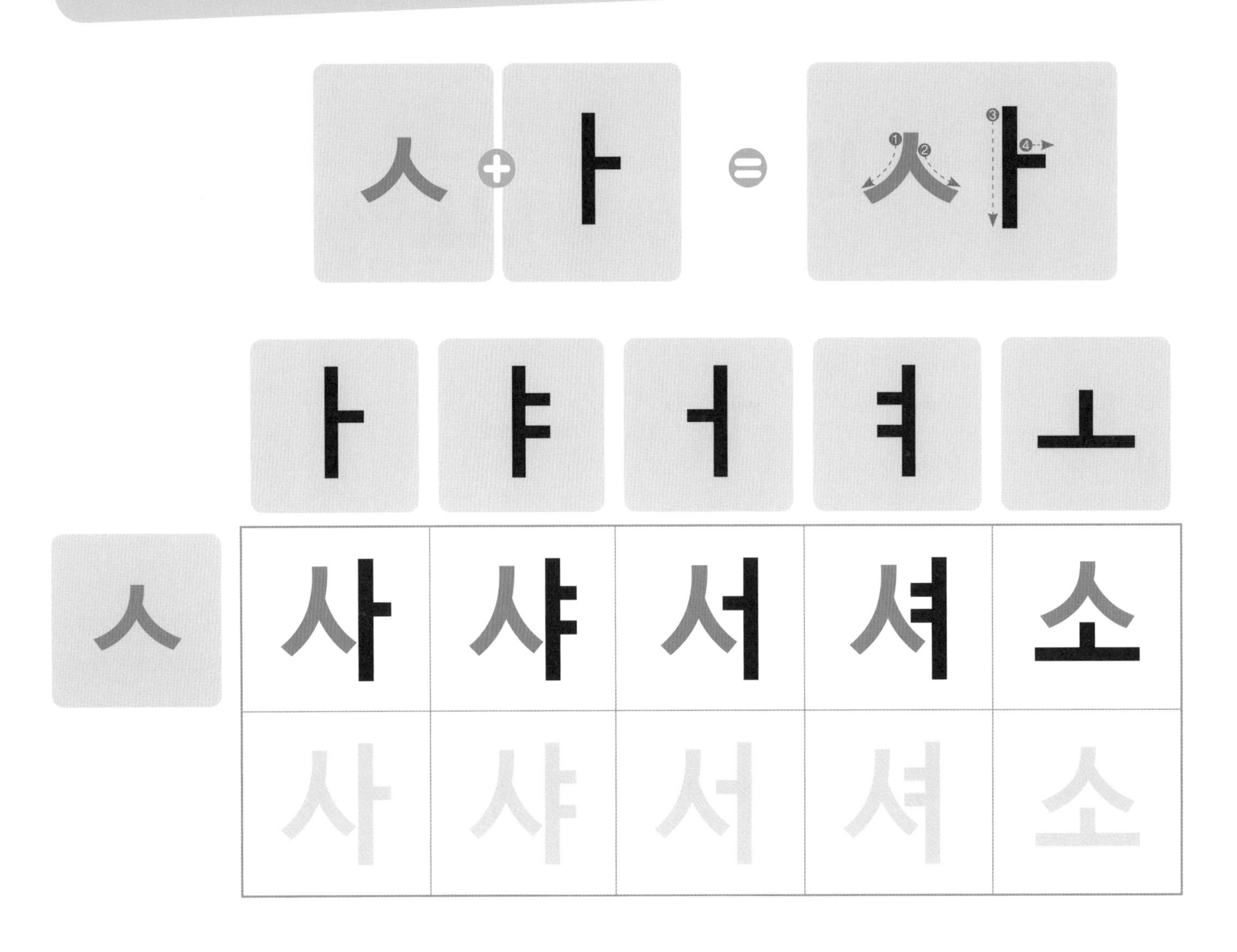

사	자

시	소

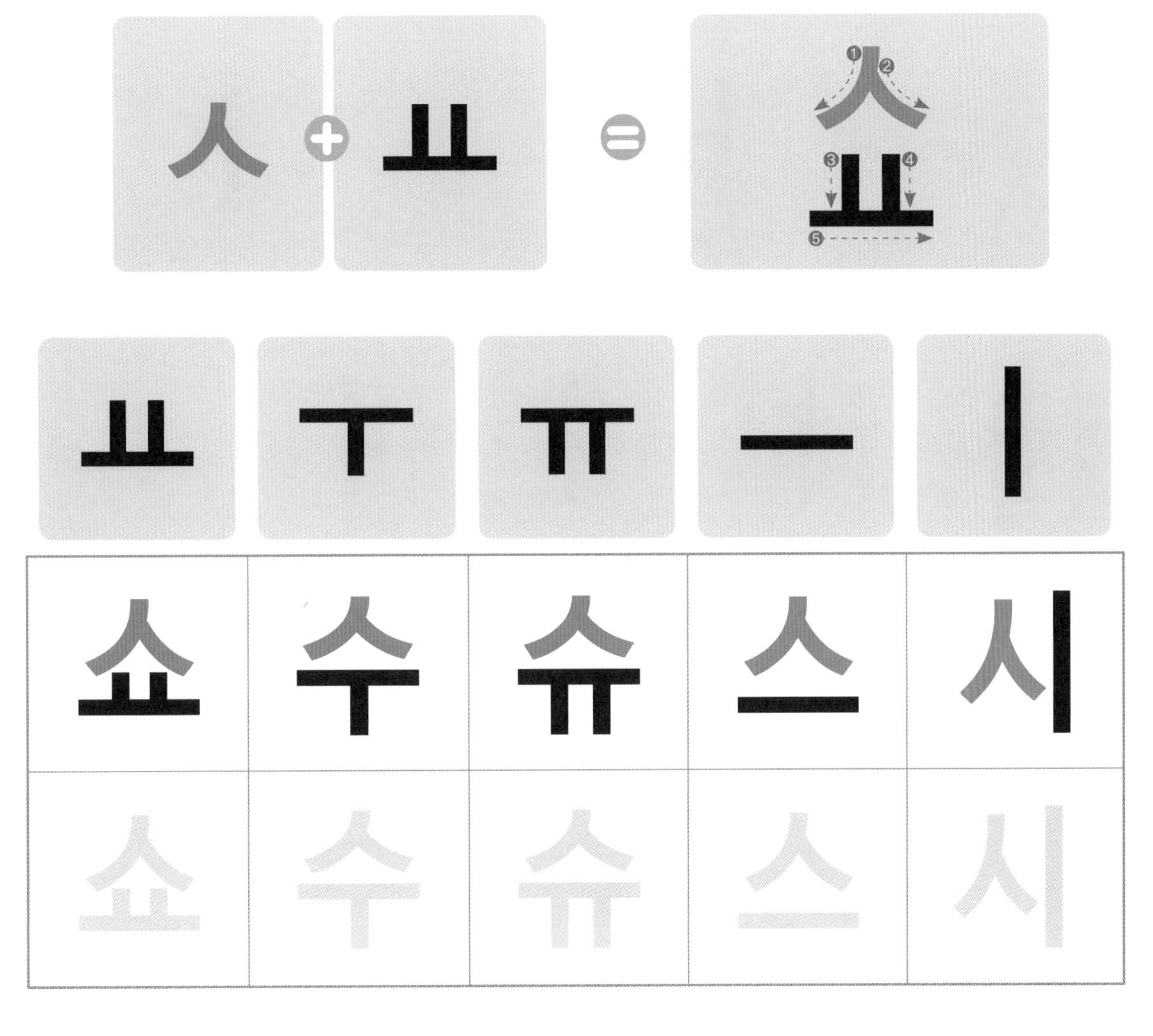

가	수

스	키

"자쟈저져조죠주쥬즈지"를 알아보아요

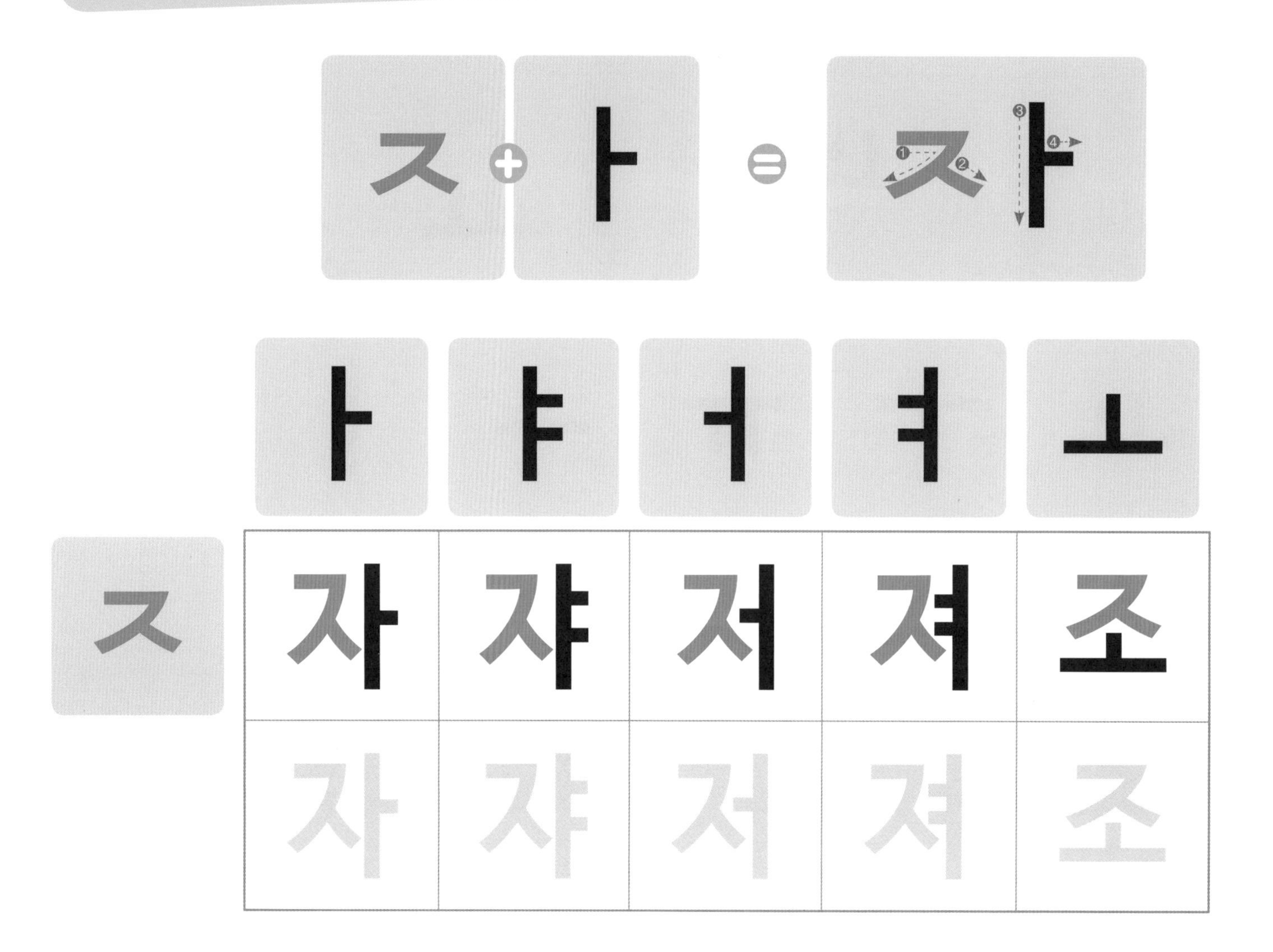

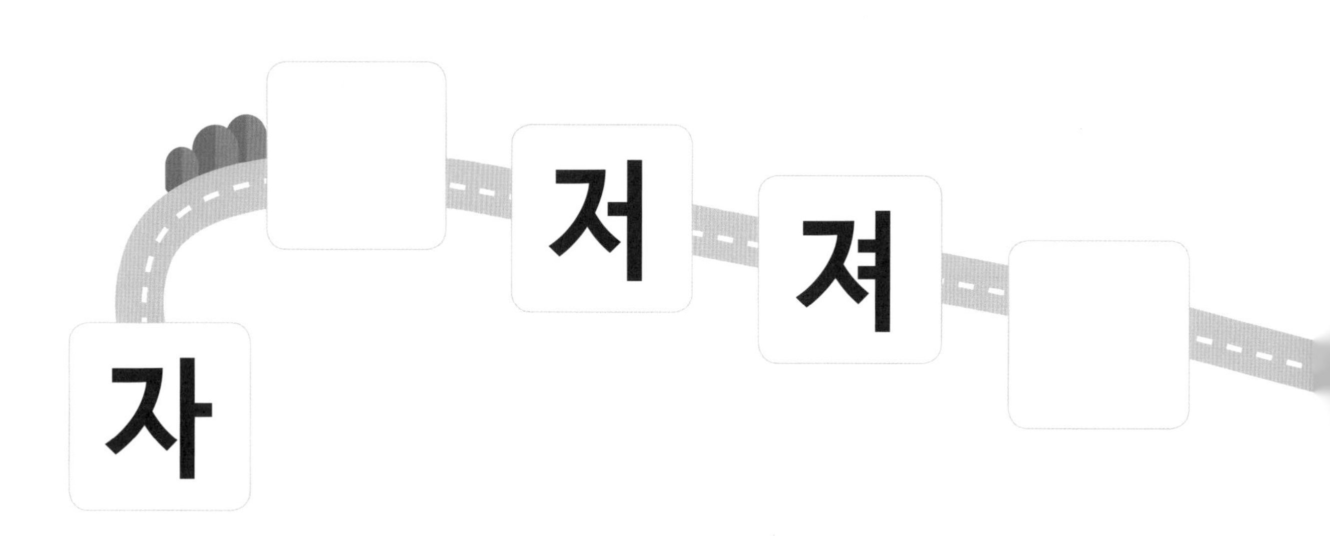

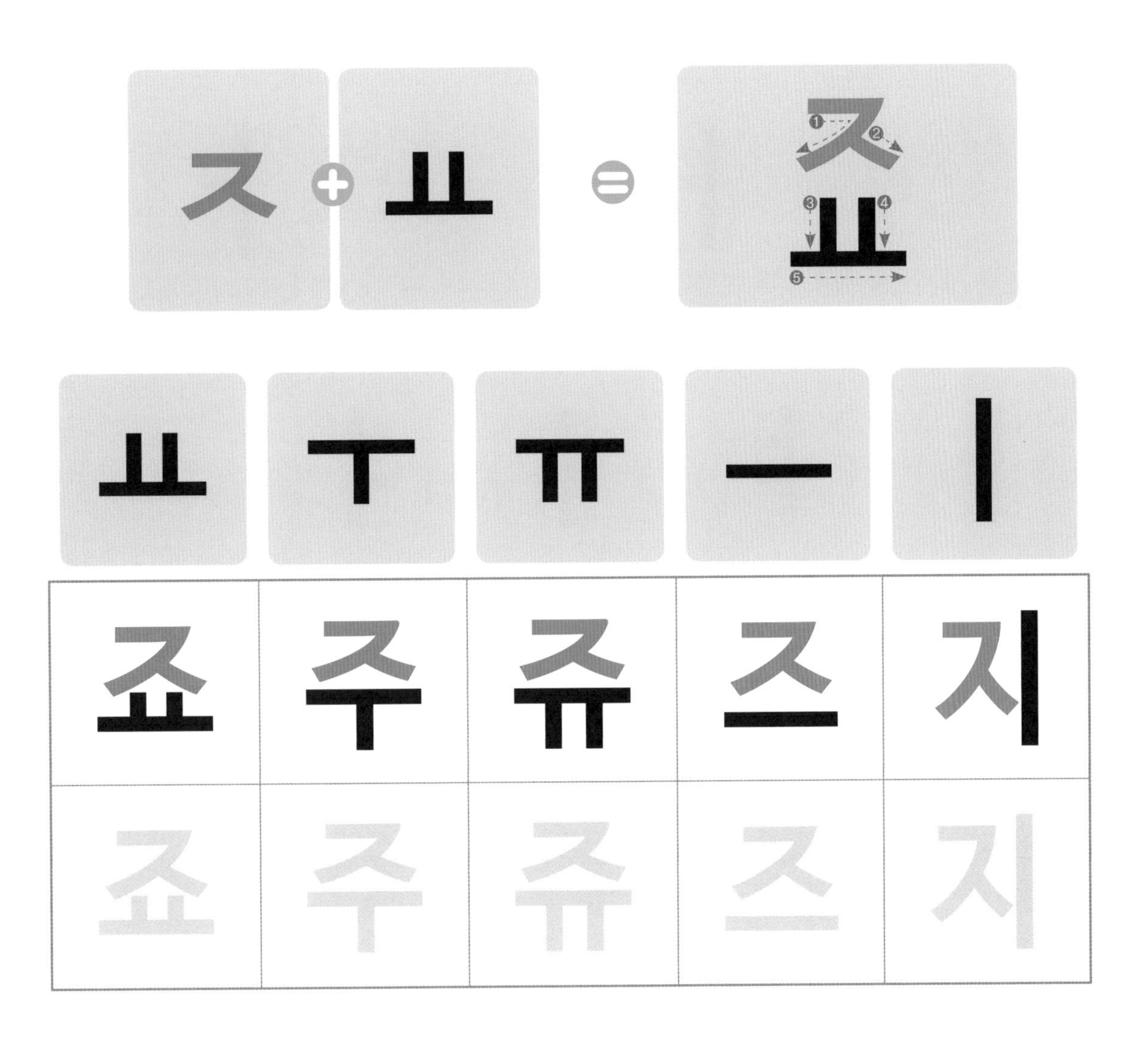
ㅈ
ㅛ
죠
ㅛ
ㅜ
ㅠ
ㅡ
ㅣ
죠
주
쥬
즈
지
죠
주
쥬
즈
지

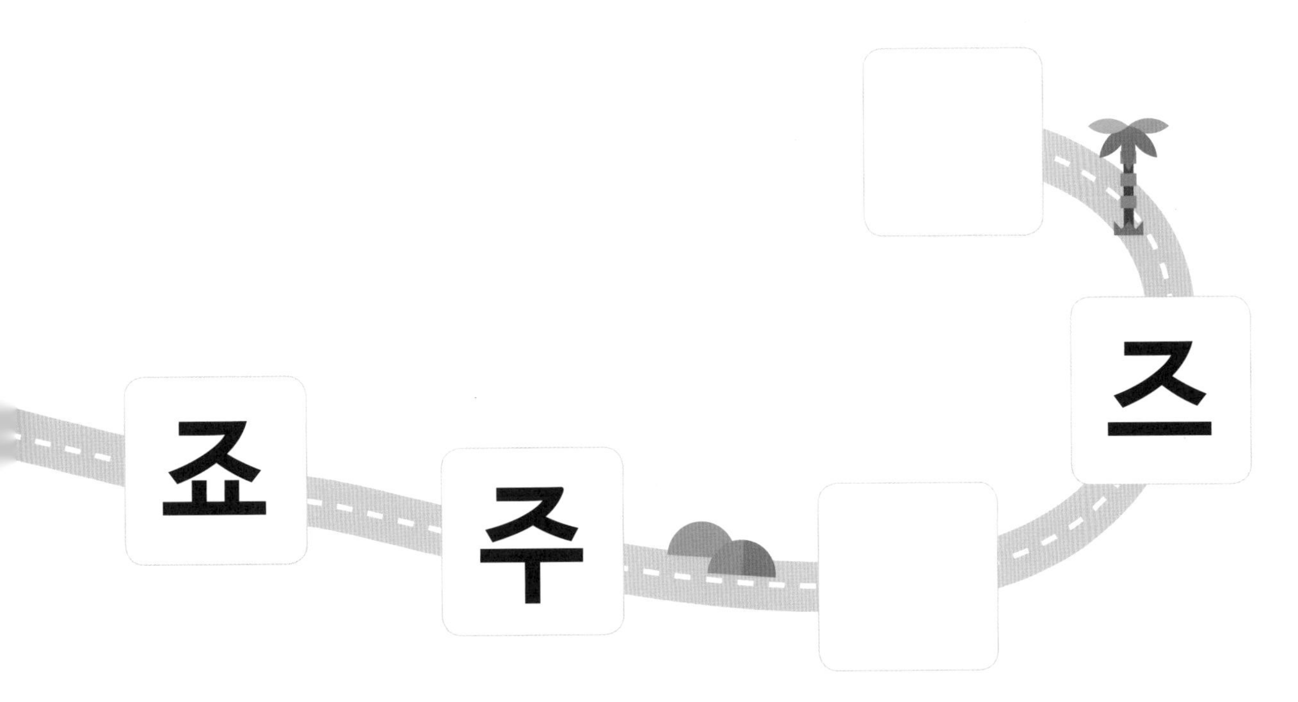
죠
주
즈

"차챠처쳐초쵸추츄츠치"를 알아보아요

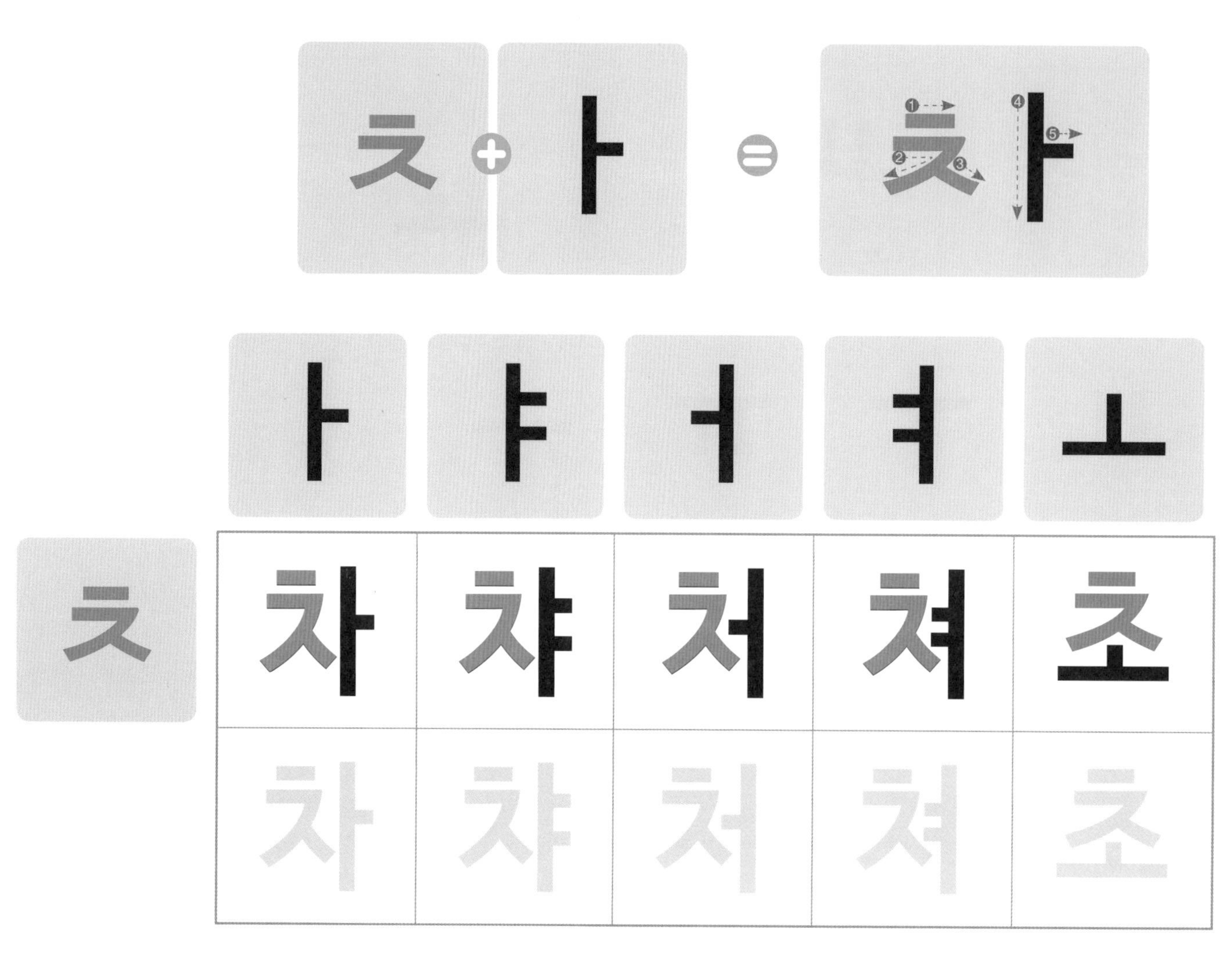

차 도

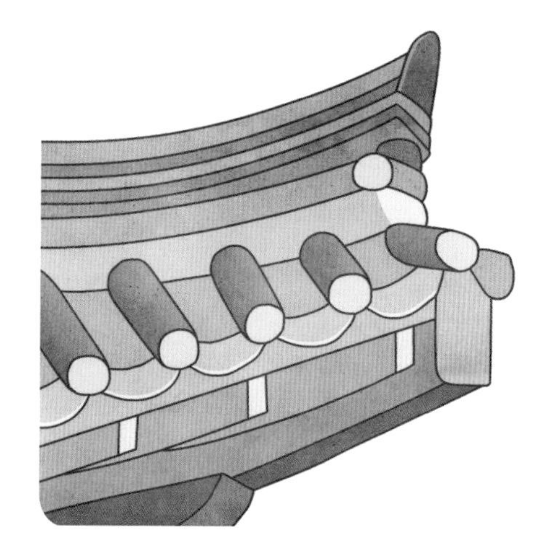

처 마

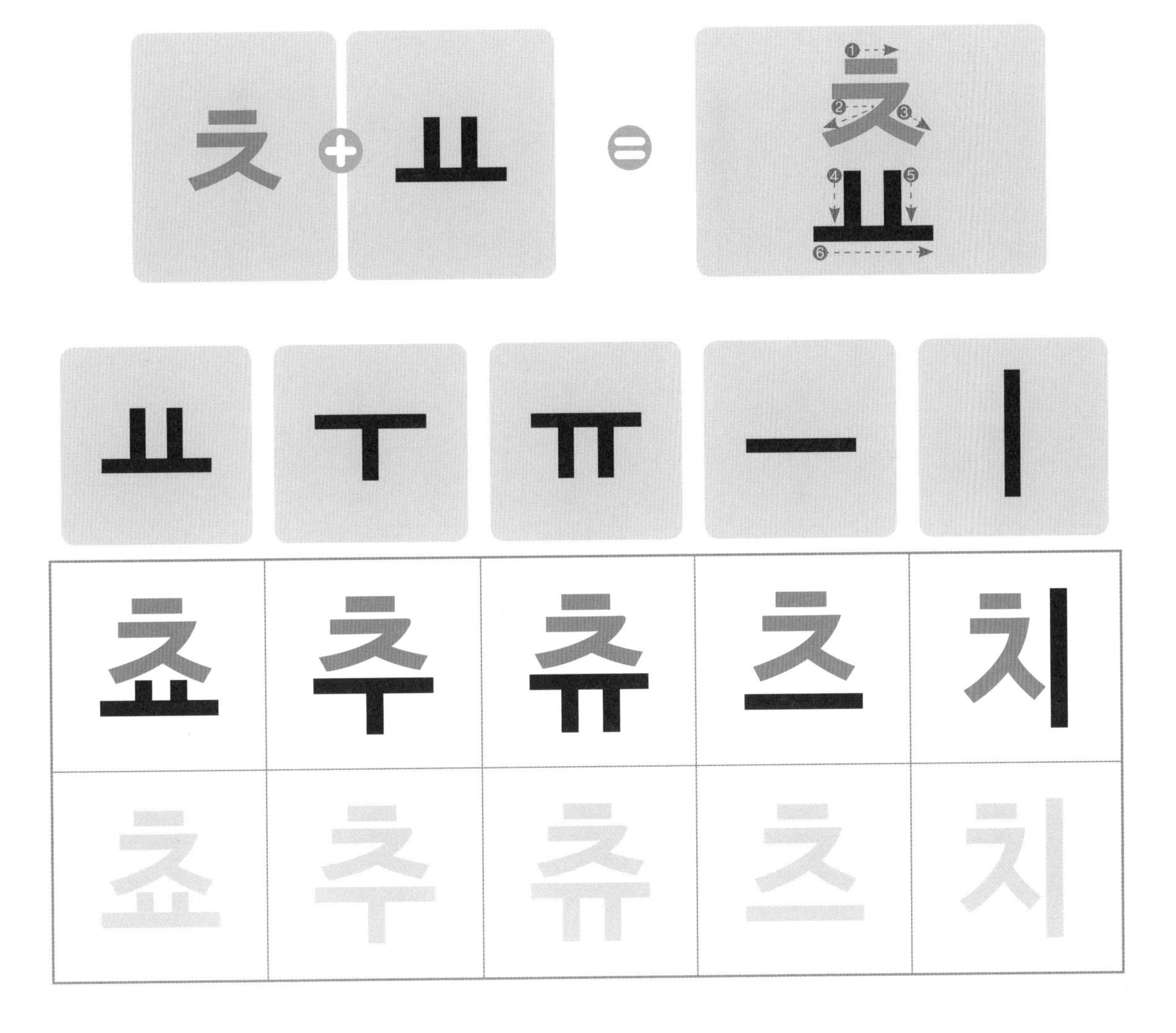

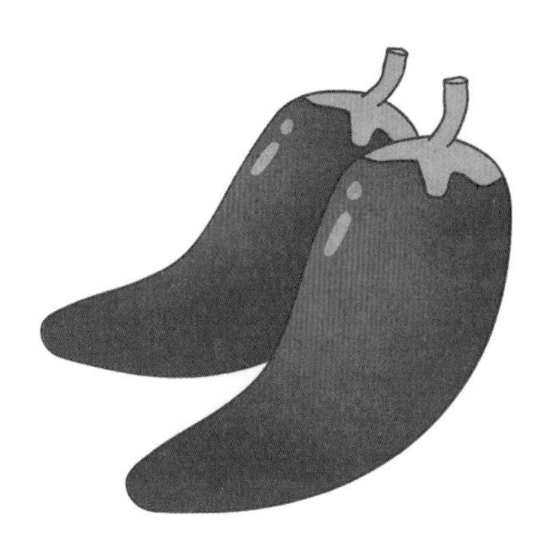

고	추

치	마

"카캬커켜코쿄쿠큐크키"를 알아보아요

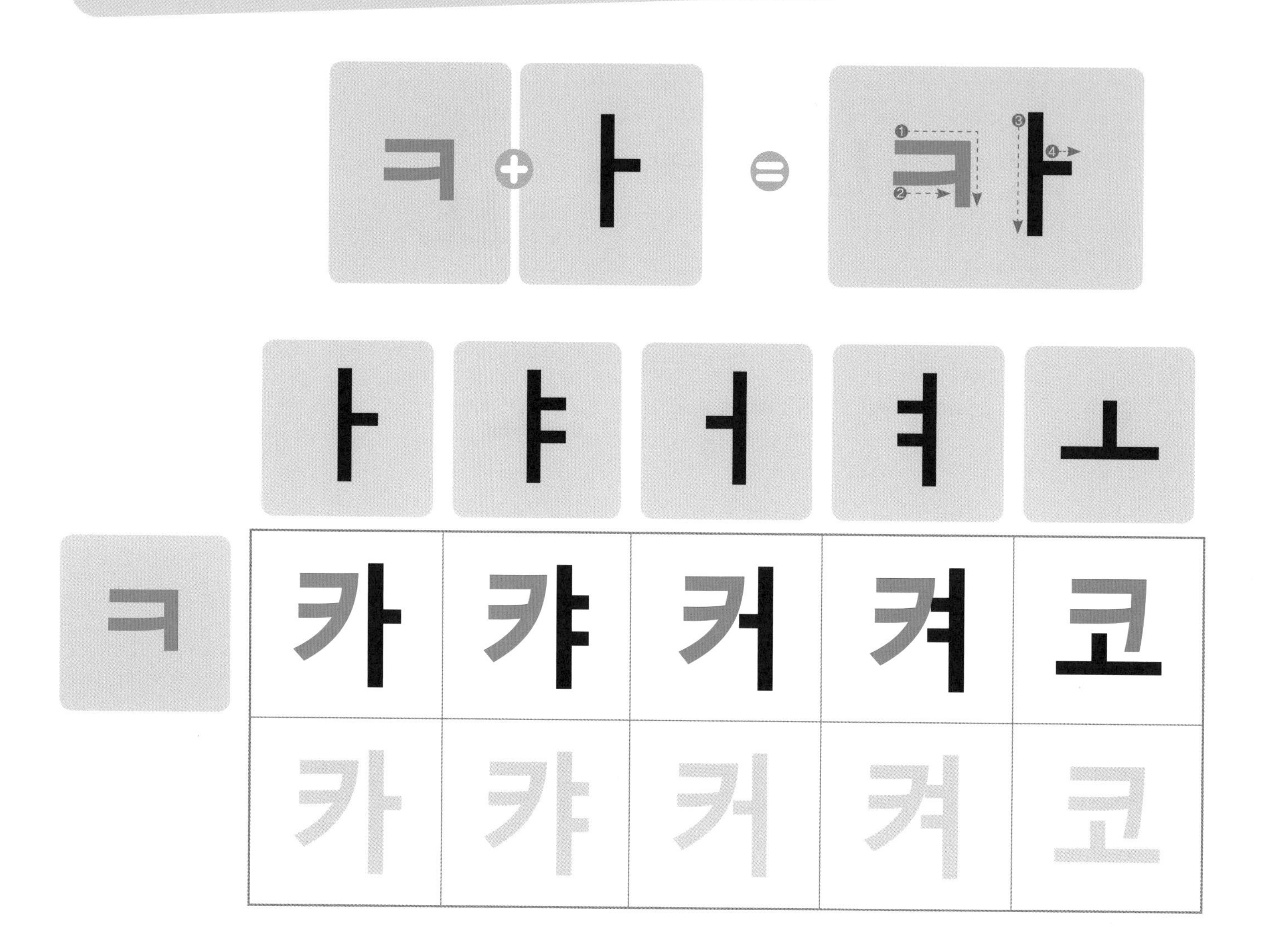

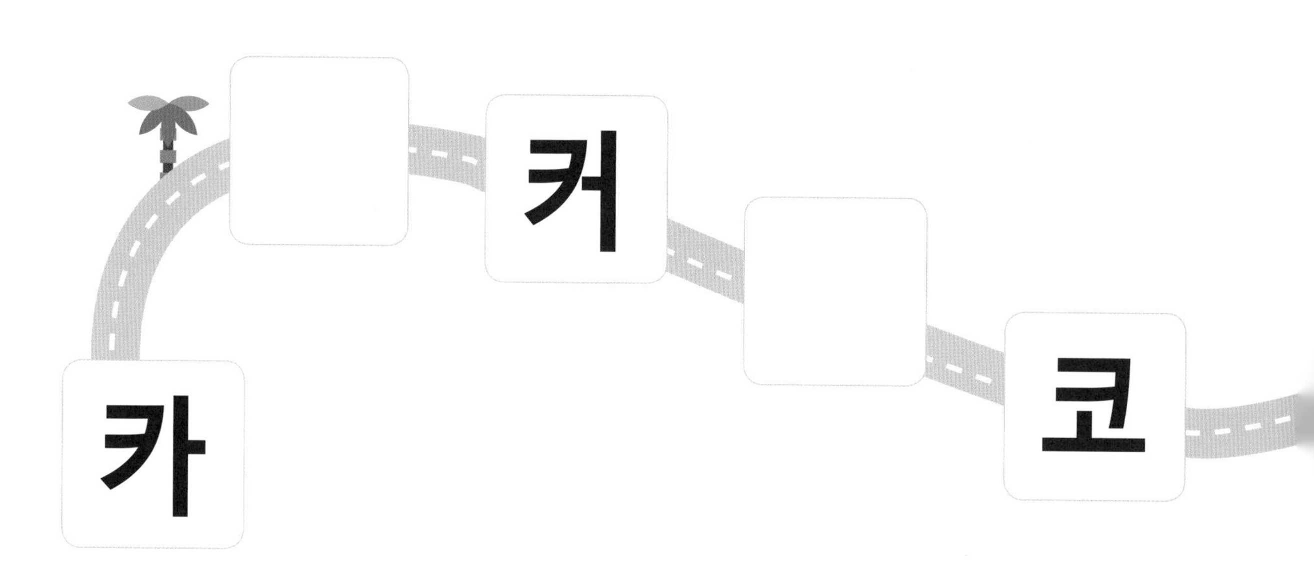

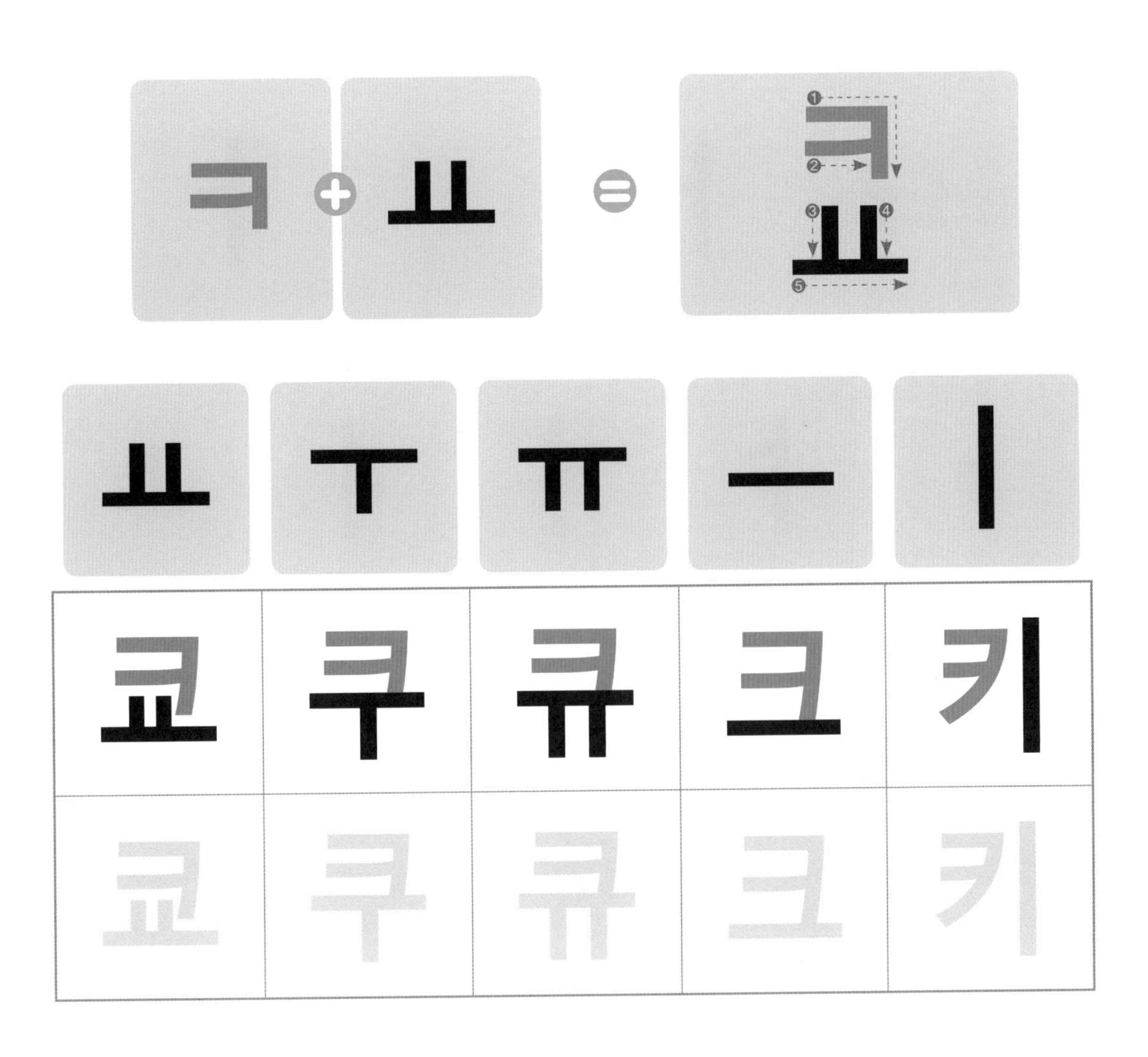
ㅋ
ㅛ
쿄
ㅛ
ㅜ
ㅠ
ㅡ
ㅣ
쿄
쿠
큐
크
키
쿄
쿠
큐
크
키

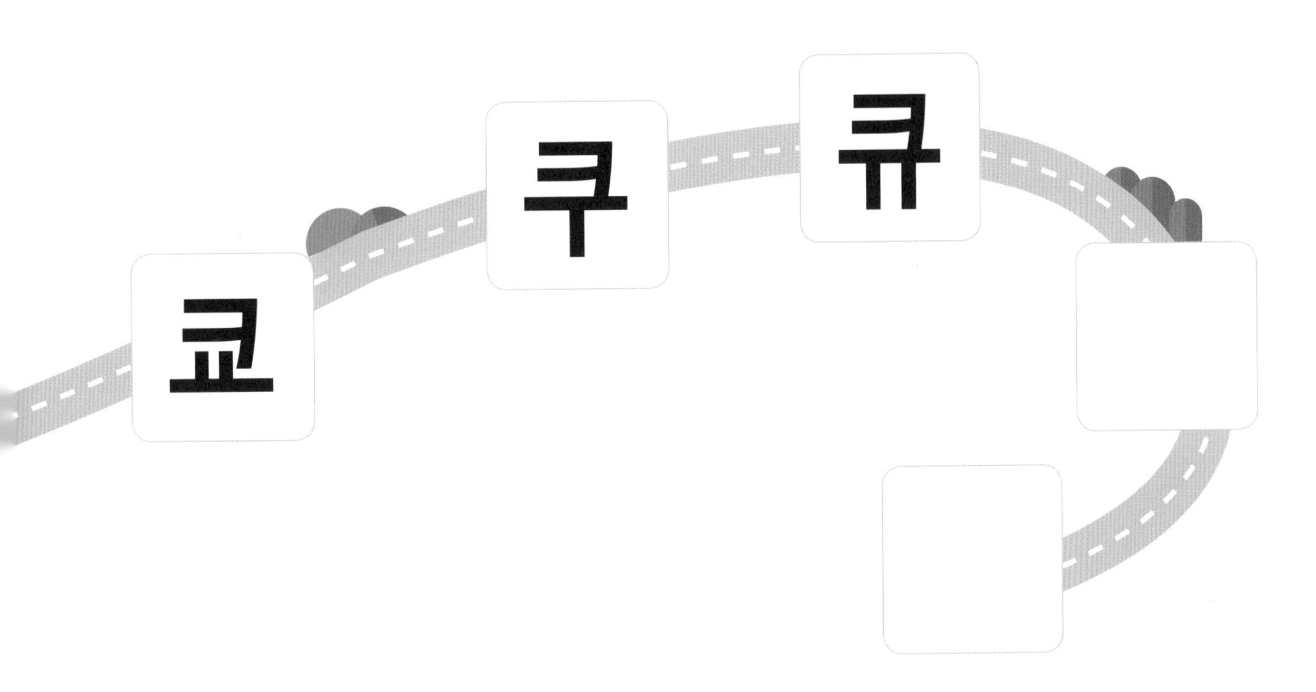
쿄
쿠
큐

“타탸터텨토툐투튜트티”를 알아보아요

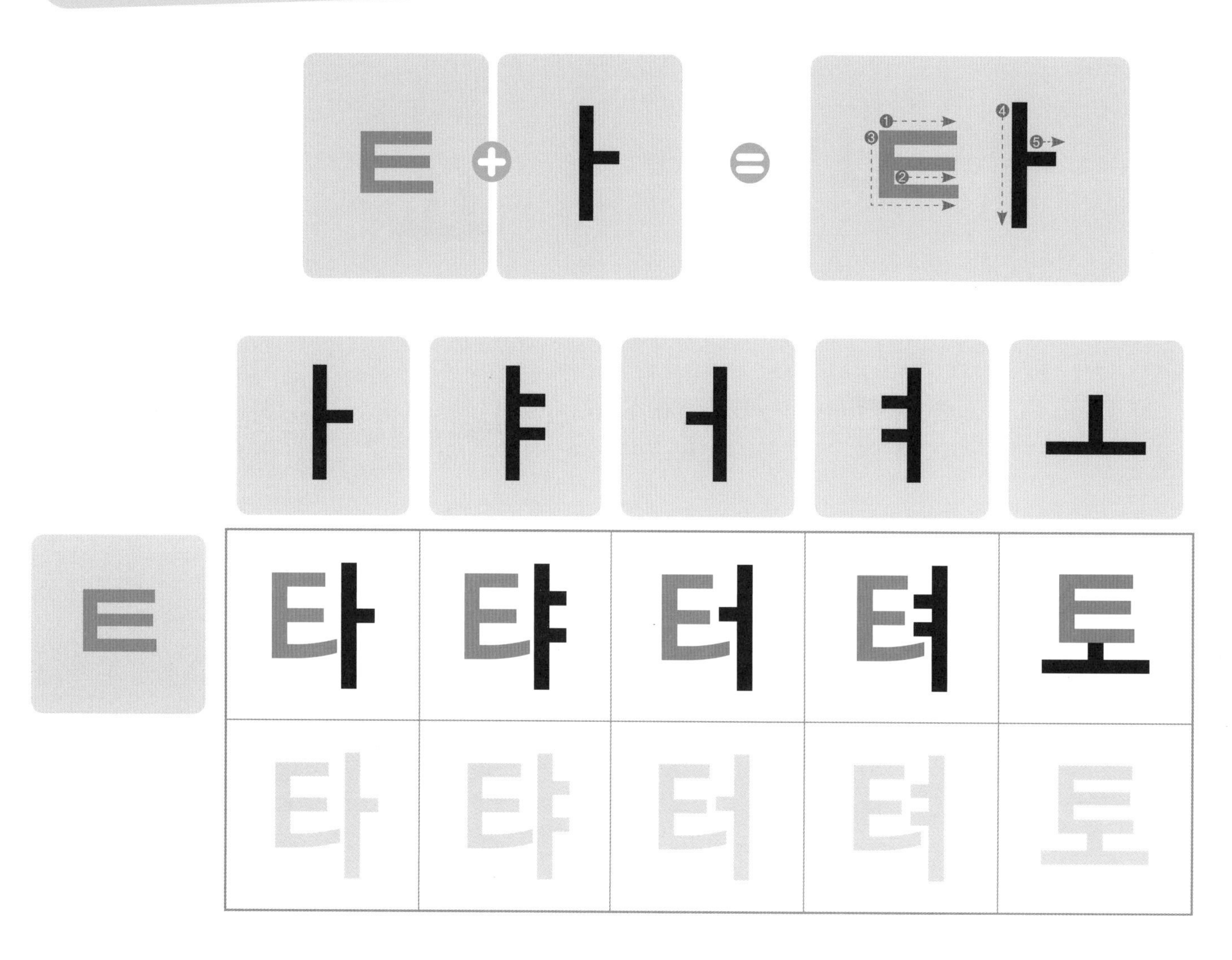

토 끼

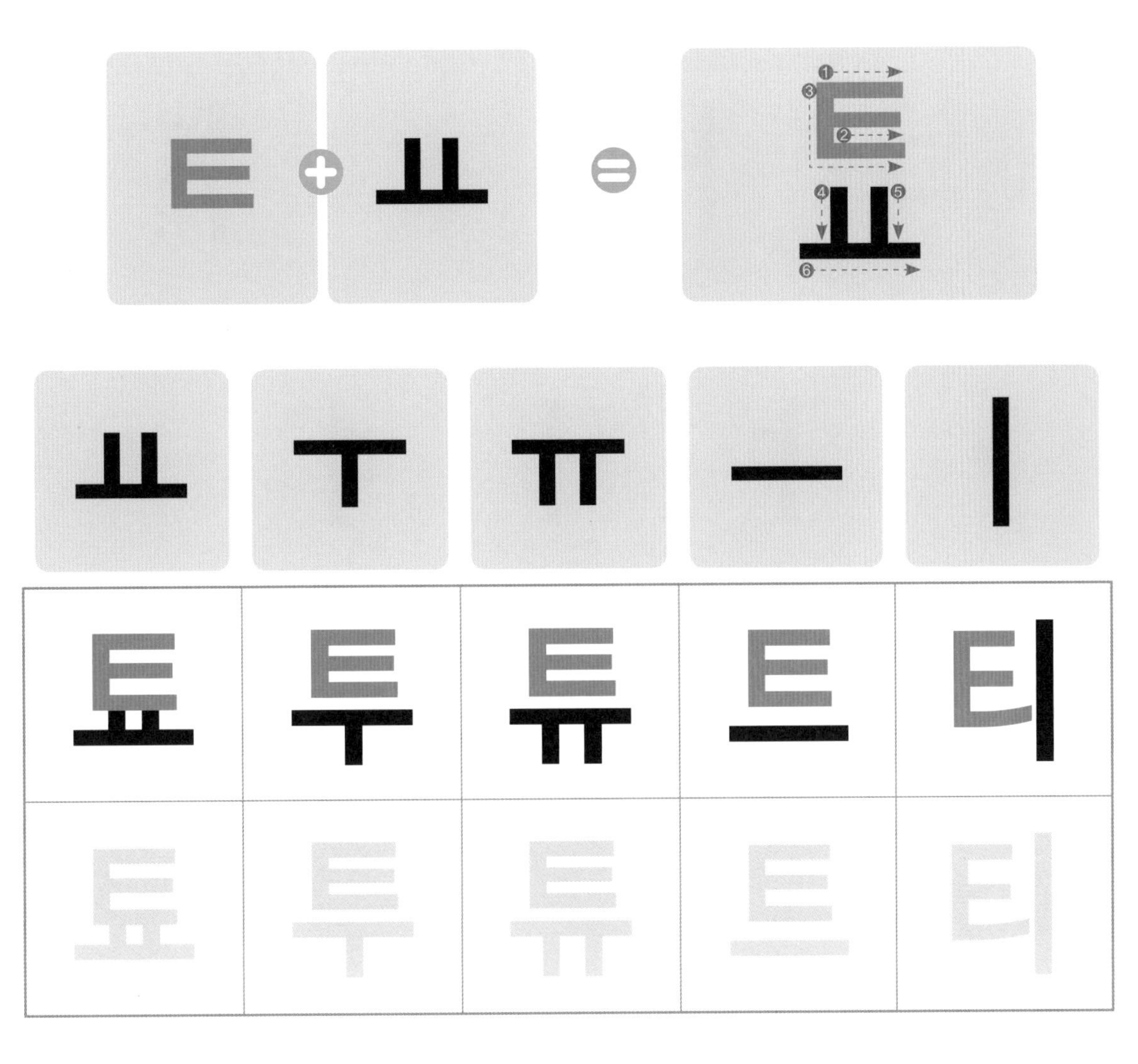

툐	투	튜	트	티
툐	투	튜	트	티

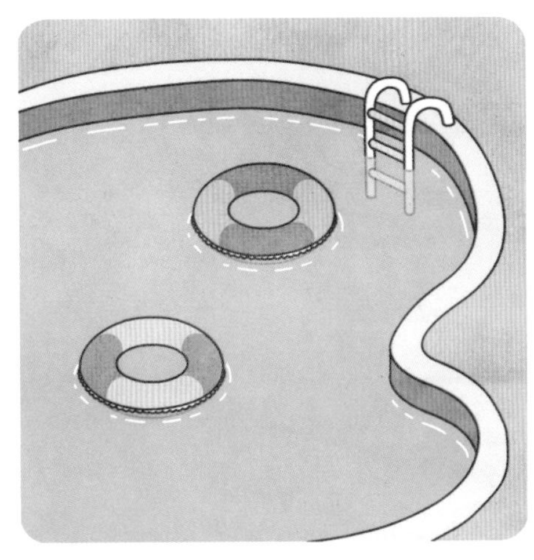

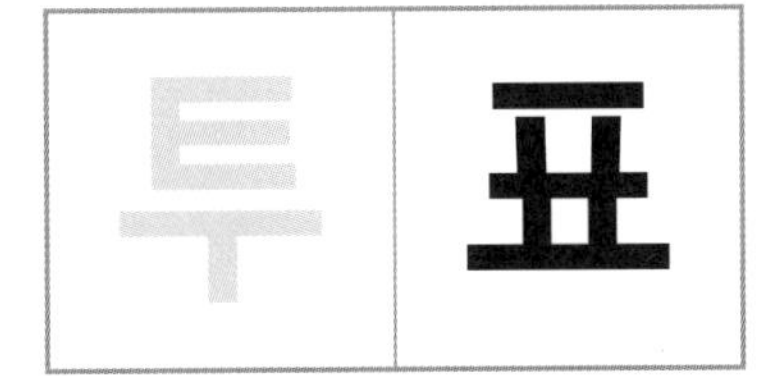

튜	브

“파퍄퍼펴포표푸퓨프피”를 알아보아요

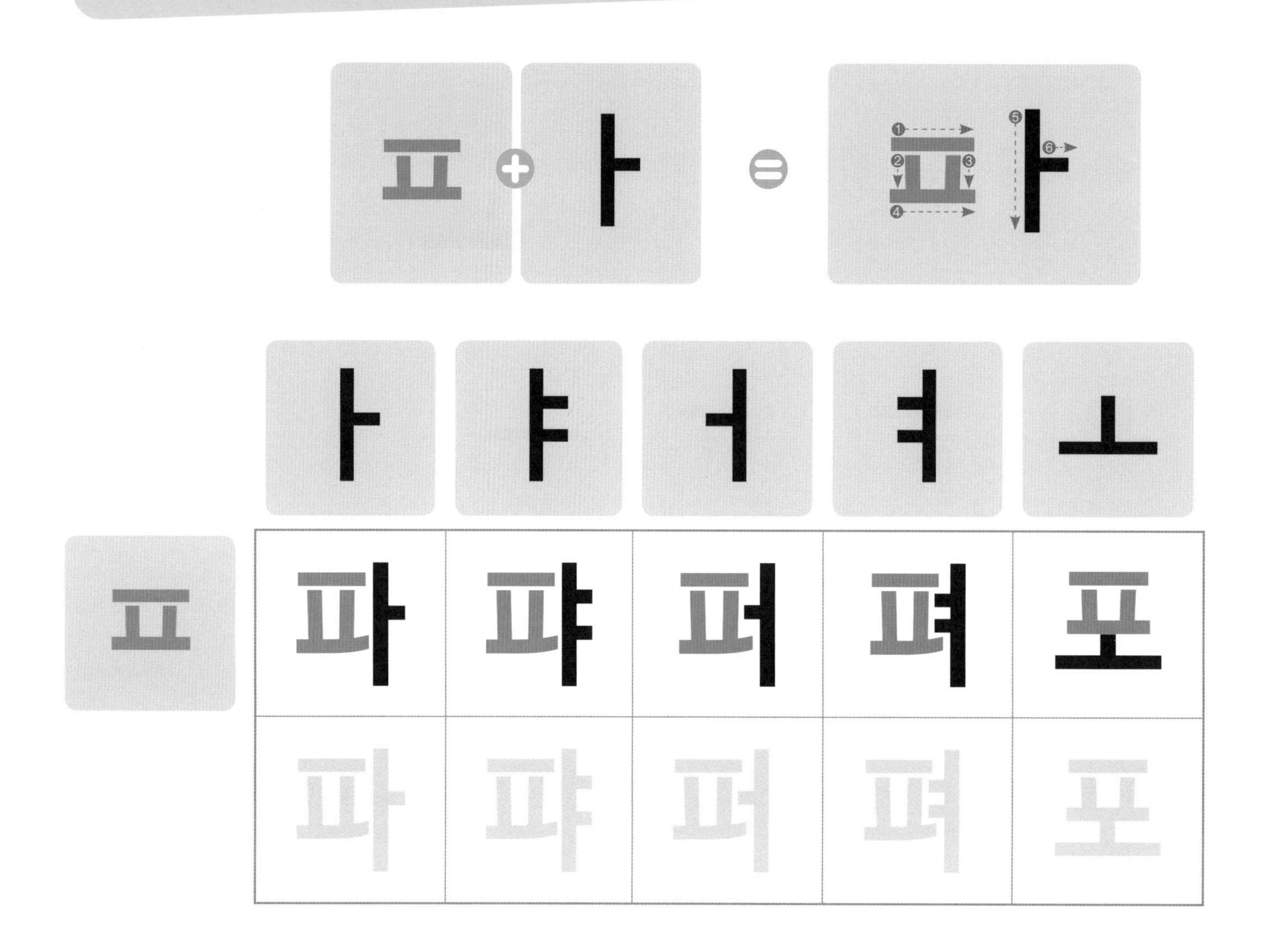

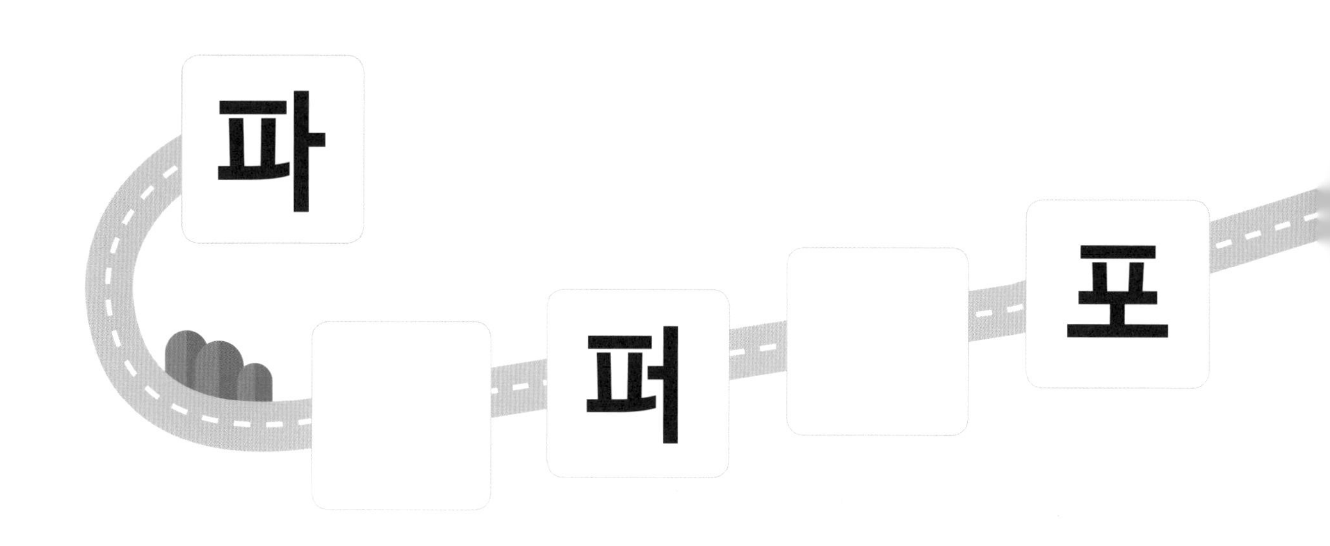

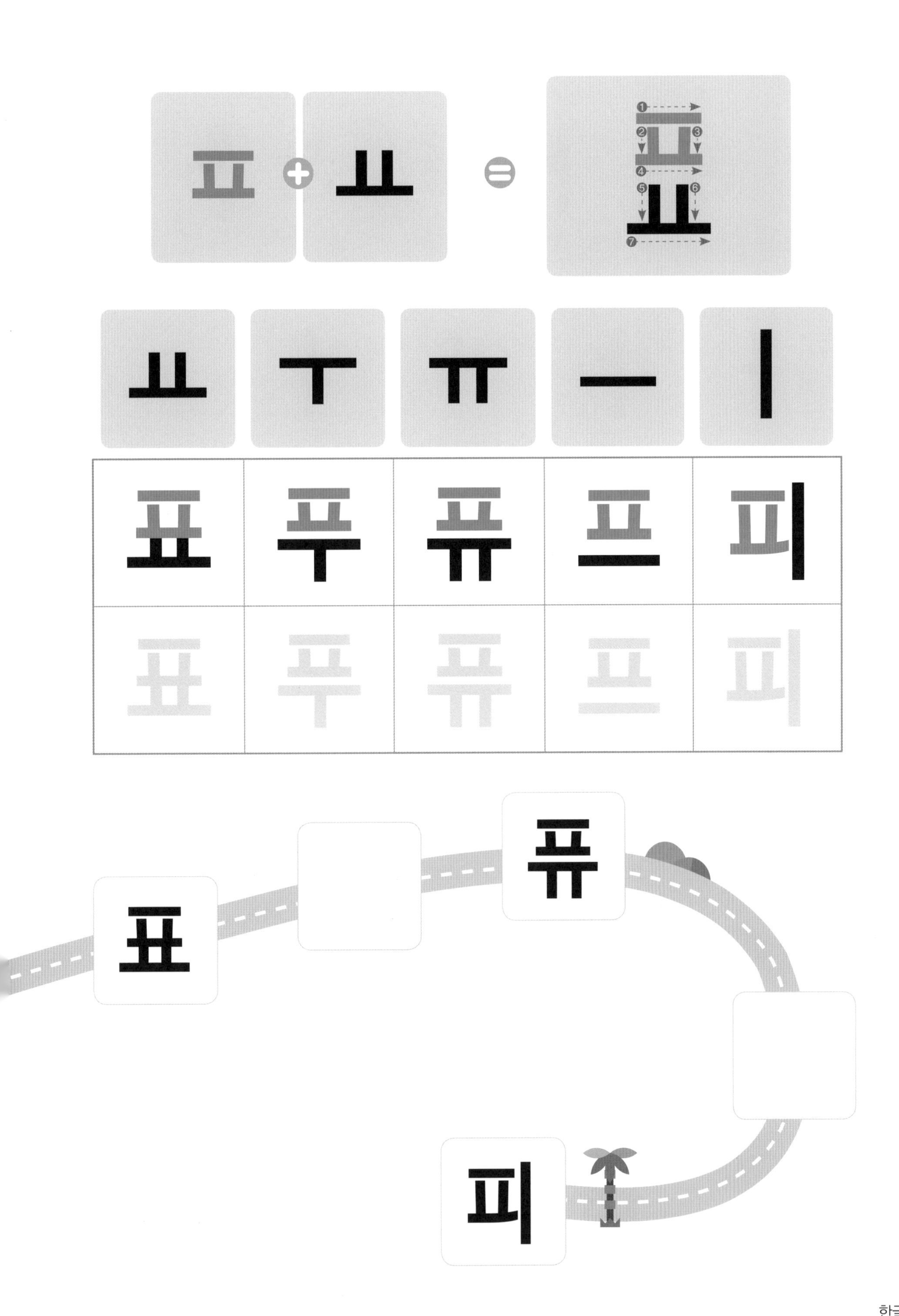
ㅍ
ㅛ
표
ㅛ
ㅜ
ㅠ
ㅡ
ㅣ
표 푸 퓨 프 피
표 푸 퓨 프 피
표
퓨
피

"하햐허혀호효후휴흐히"를 알아보아요

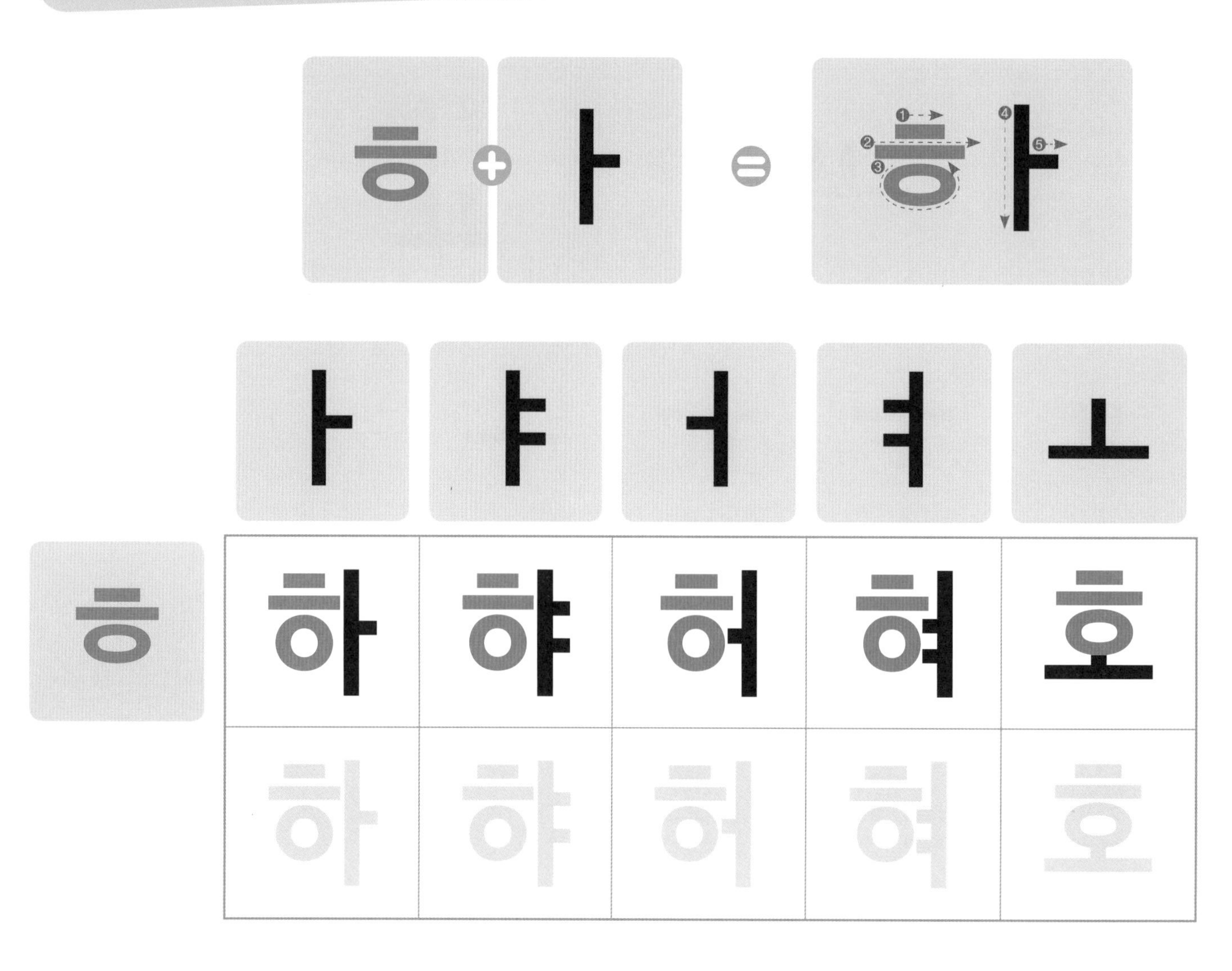

ㅎ + ㅏ = 하

	ㅏ	ㅑ	ㅓ	ㅕ	ㅗ
ㅎ	하	햐	허	혀	호
	하	햐	허	혀	호

하	마

호	수

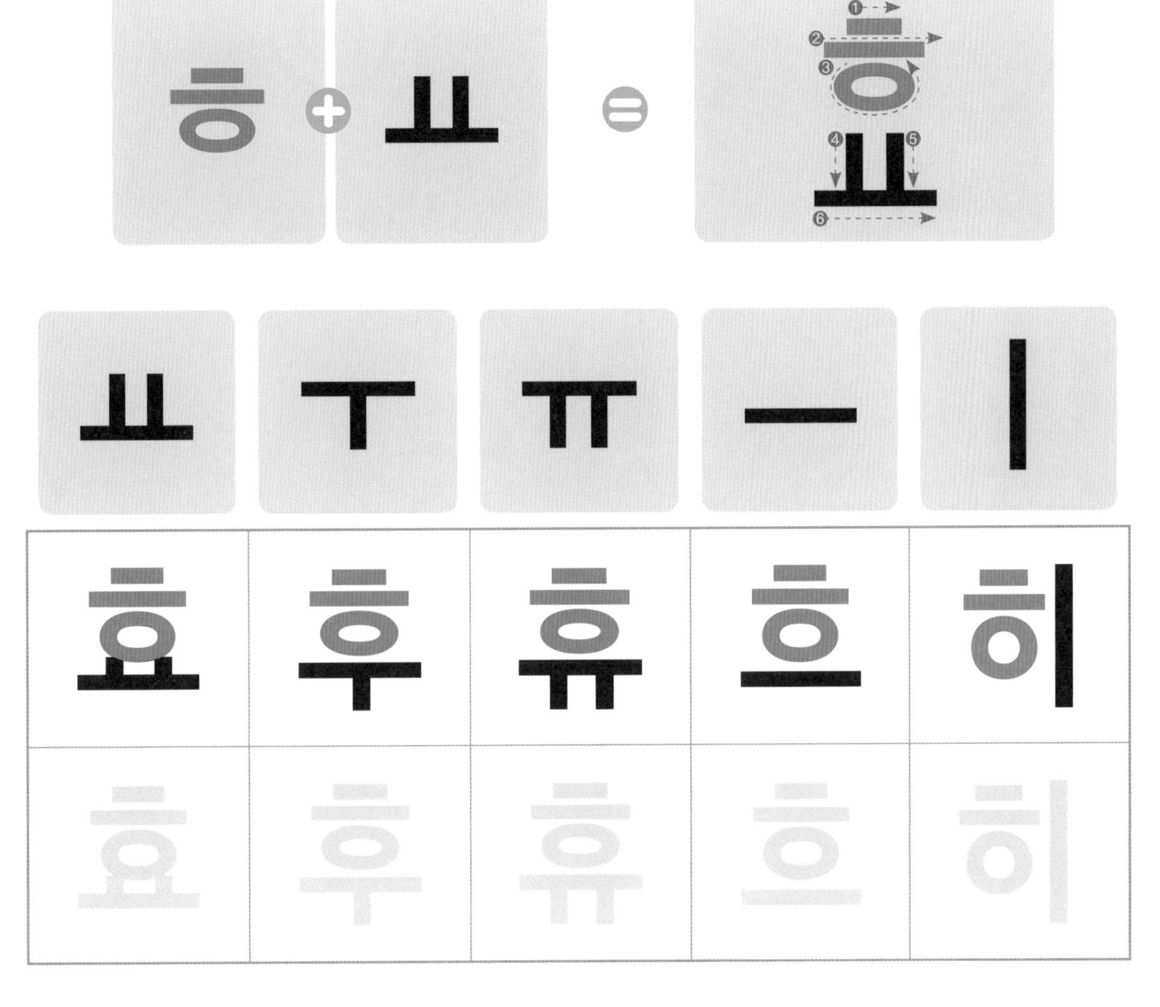

ㅎ + ㅛ = 효

ㅛ	ㅜ	ㅠ	ㅡ	ㅣ
효	후	휴	흐	히
효	후	휴	흐	히

효도

휴가

쉬어 가기

★ 놀이동산에서 자음을 찾아보세요.

받침

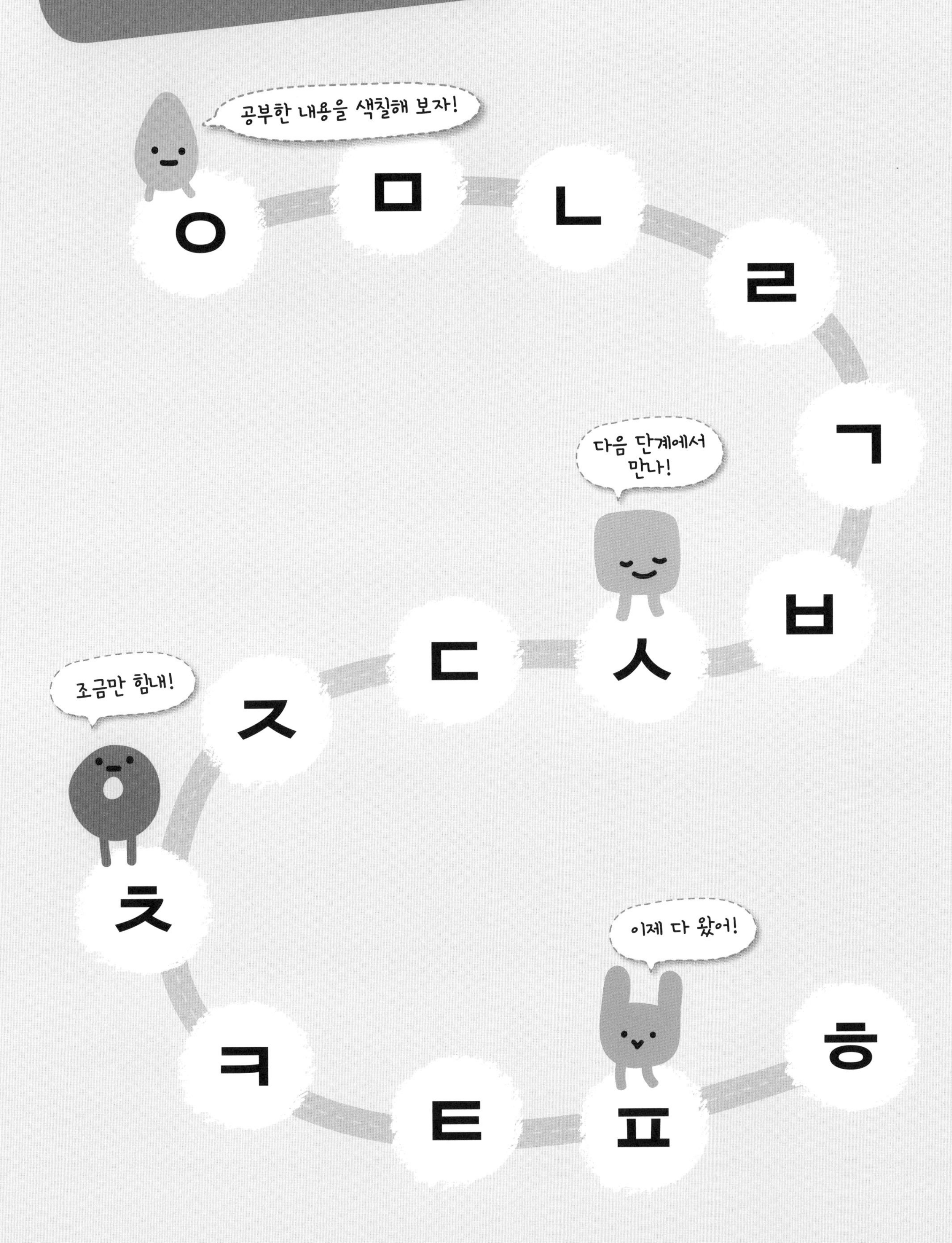

받침 "ㅇ"을 알아보아요

받침 "이응"

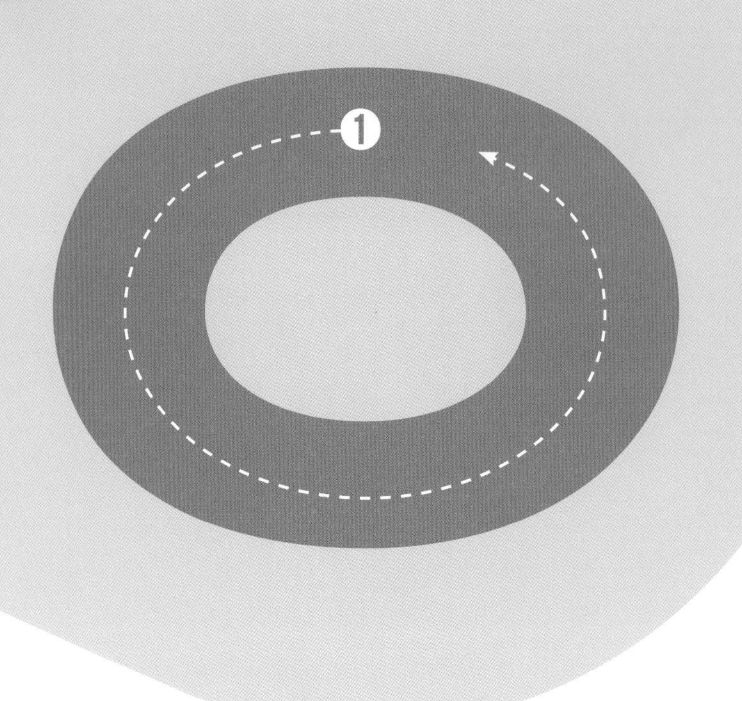

다람쥐가 밤을 찾을 수 있도록 받침 "ㅇ"이 들어간 글자를 따라 선으로 이으세요.

학부모 TIP 받침 "ㅇ"이 붙으면 새로운 글자가 된다는 것을 이해할 수 있도록 지도해 주시고, 받침 "ㅇ"이 들어간 글자를 찾을 수 있도록 도와주세요.

받침 "ㅇ"이 들어간 글자 찾기

받침 "ㅇ"이 들어 있는 글자를 찾아 ○표 하고, 받침 "ㅇ"에 색칠하세요.

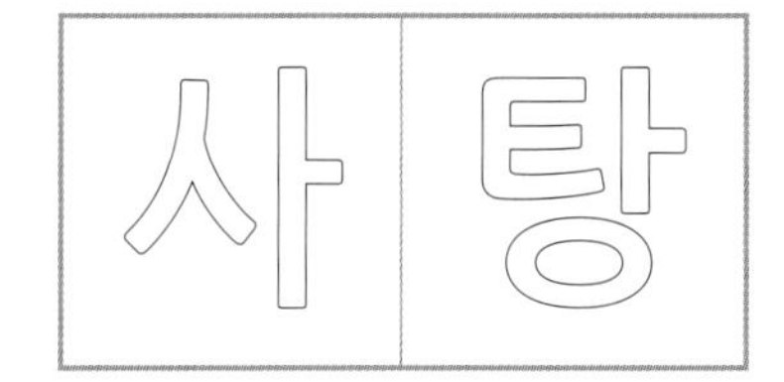

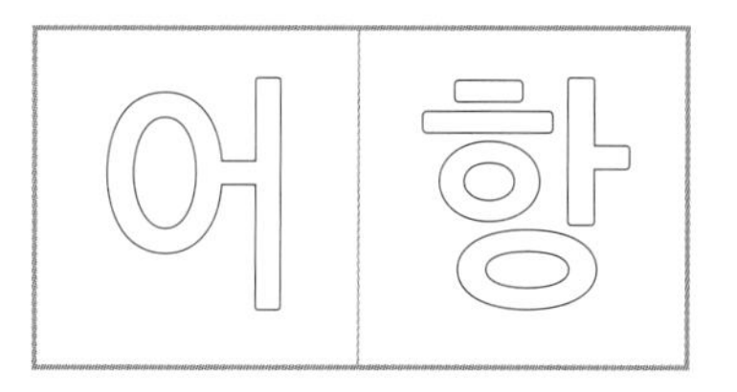

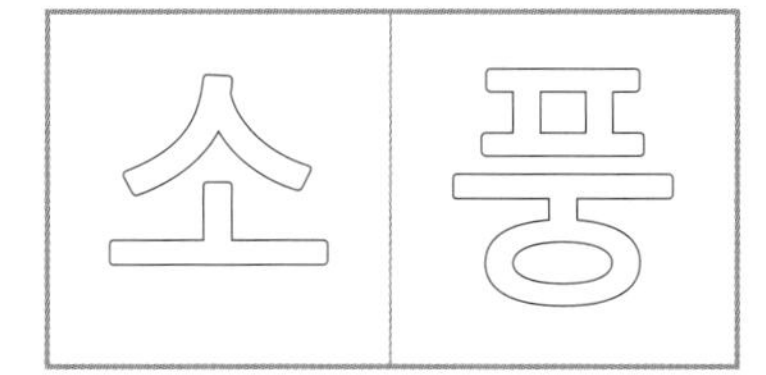

청	바	지

받침 "ㅇ" 붙이기

받침 "ㅇ"이 붙으면 어떤 글자가 되는지 읽고 따라 쓰세요.

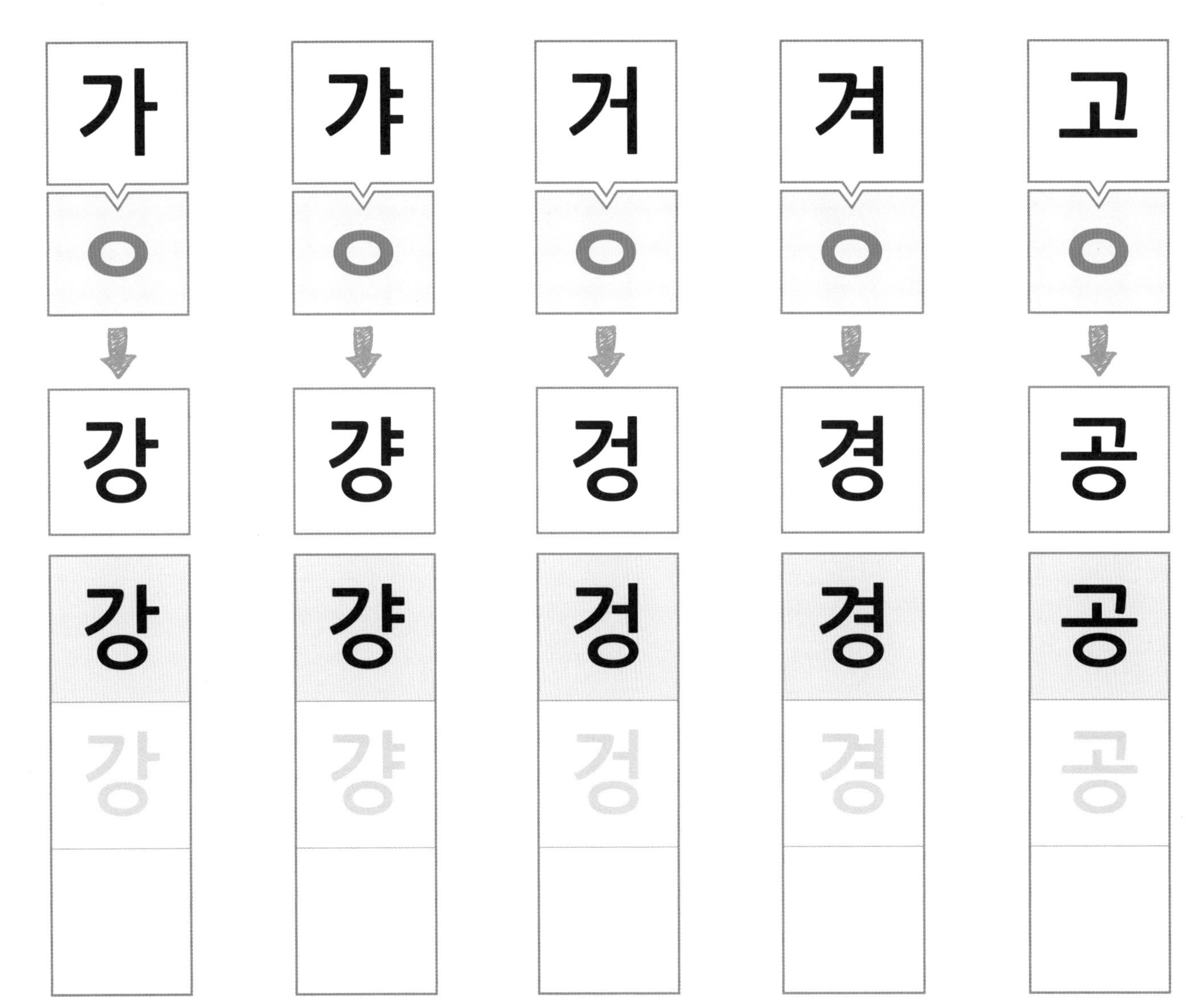

받침이 없는 음절에 받침 "ㅇ"을 붙이면 새로운 음절이 만들어지는 원리를 아는 것이 중요합니다. 받침의 발음에 주의하며 바르게 읽고, 정확하게 쓸 수 있도록 도와주세요.

"공주"의 "공"은 "고"에 받침 "ㅇ"이 붙어서 만들어진 글자야.

공 주

받침 "ㅇ"이 들어간 낱말 익히기

✪ 다음 그림에 알맞은 낱말을 찾아 선으로 잇고 따라 쓰세요.

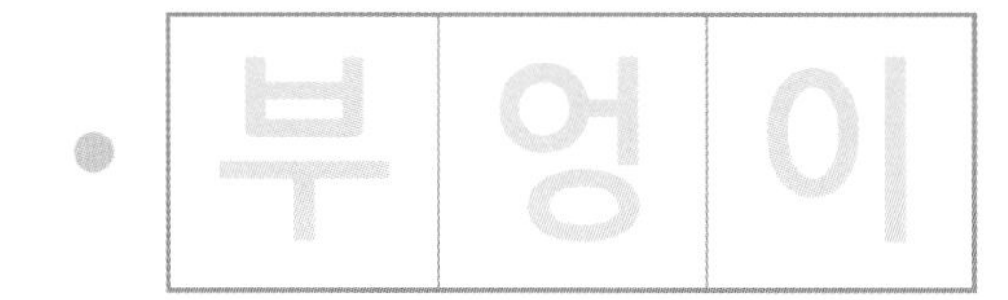

병아리

✪ 다음 그림을 보고 이름을 알맞게 쓴 것을 찾아 ○표 하세요.

공룡

곱룡

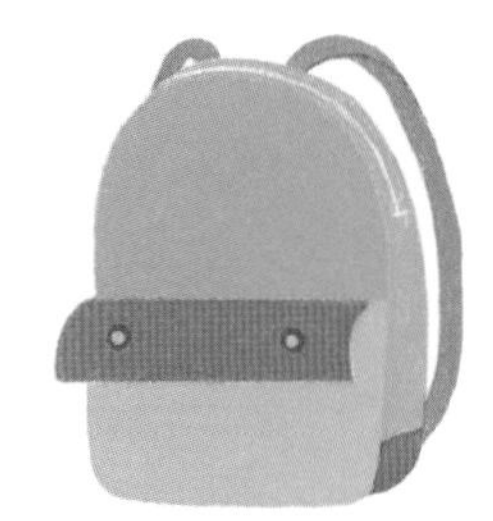

가발

가방

자돔차

자동차

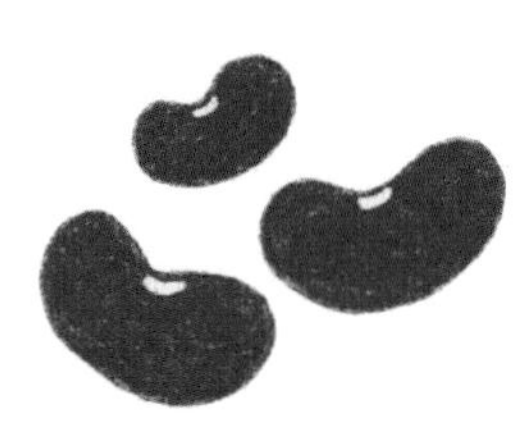

강낭콩

강낙콩

✪ 빈칸에 들어갈 글자를 보기에서 찾아 쓰고 낱말 퍼즐을 완성하세요.

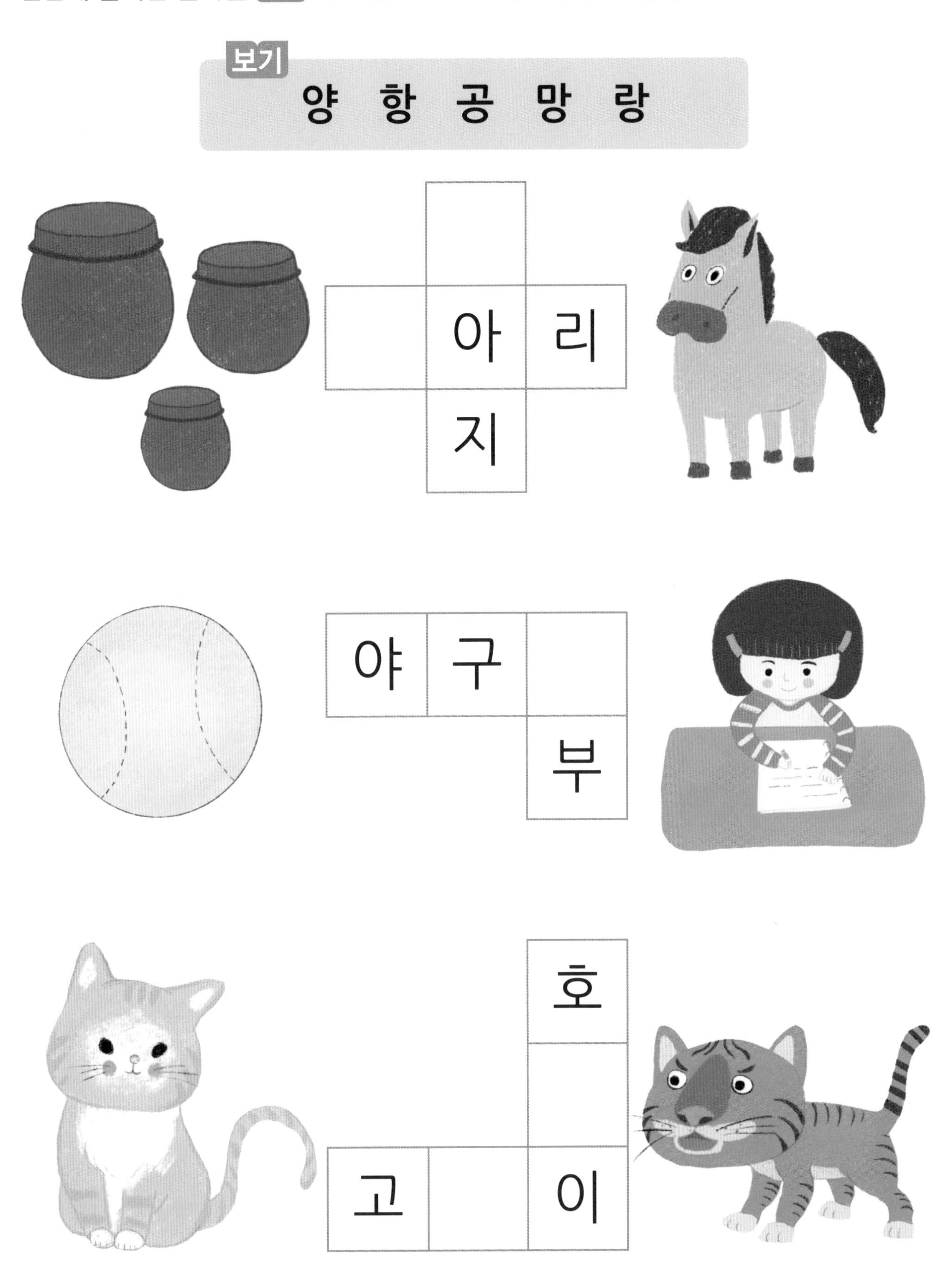

받침 "ㅇ"이 들어간 이야기 읽기

✪ 받침 "ㅇ"이 들어간 낱말을 살펴보면서 이야기를 읽어 보세요.

해가 떠요.

더워요.

수영장에 너도나도 풍덩풍덩!

오리가 동동, 우리도 둥둥

서로 경주해요.

모래 위에서 모래성도 지어요.

1. 다음에서 받침 "ㅇ"이 들어간 낱말을 찾아 밑줄을 긋고, 받침 "ㅇ"이 들어간 낱말에 알맞은 그림을 선으로 이으세요.

❶ 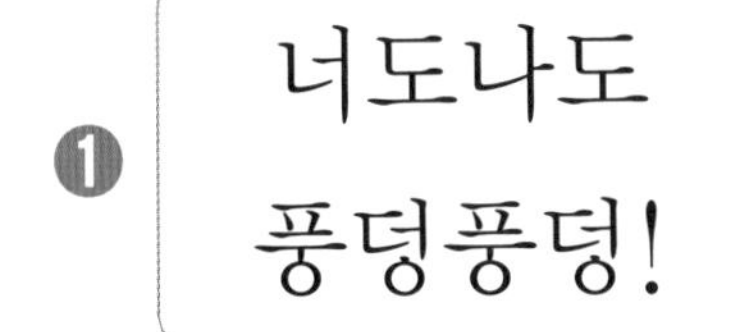

❷ 모래 위에서
모래성도
지어요.

2. 다음 이야기에서 나온 받침 "ㅇ"이 들어간 낱말을 알맞게 따라 쓰세요.

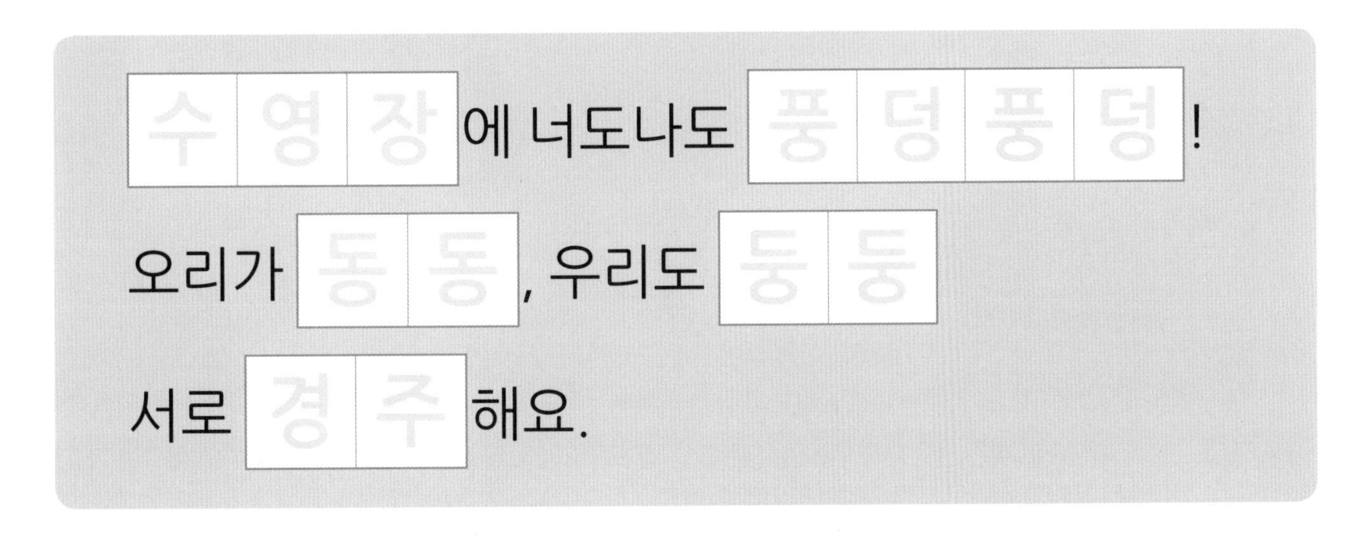

받침 "ㅁ"을 알아보아요

받침 "미음"

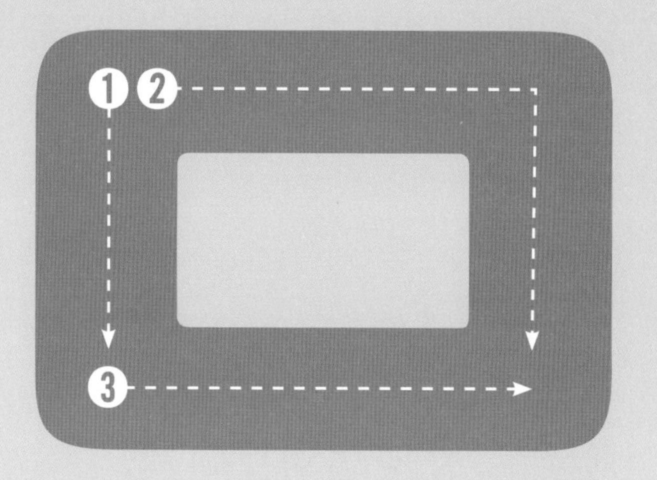

꼬마 해적단이 보물이 가득한 섬을 찾을 수 있도록
받침 "ㅁ"이 들어간 글자를 따라 선으로 이으세요.

학부모 TIP 꼬마 해적단이 찾은 섬을 [서], [서-엄], [섬]의 순서대로 읽어 보게 하세요. [서]에 받침 "ㅁ"이 붙으면 "섬"이라는 새로운 글자가 된다는 것을 확실하게 알려 주세요.

받침 "ㅁ"이 들어간 글자 찾기

받침 "ㅁ"이 들어 있는 글자를 찾아 ○표 하고, 받침 "ㅁ"에 색칠하세요.

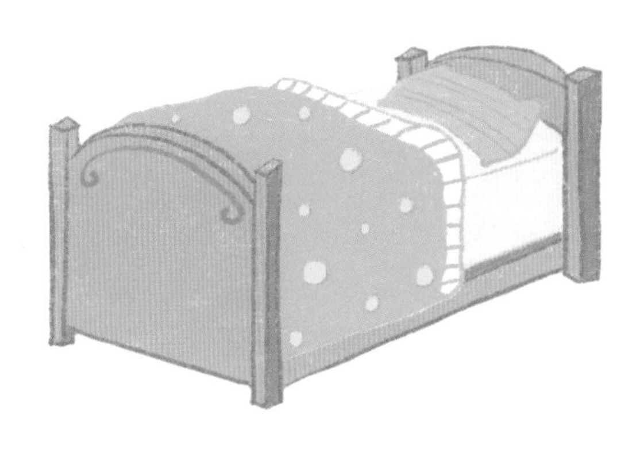

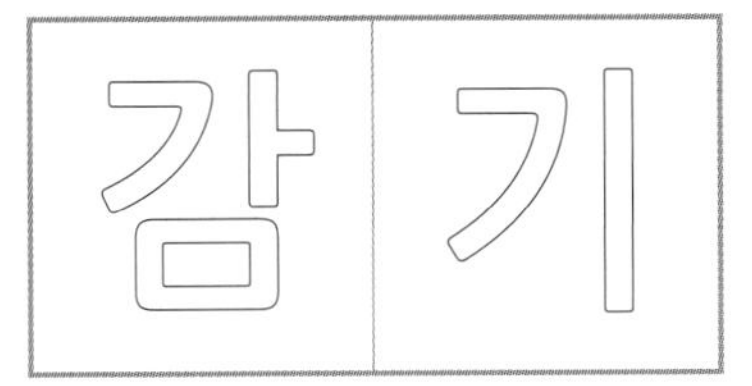

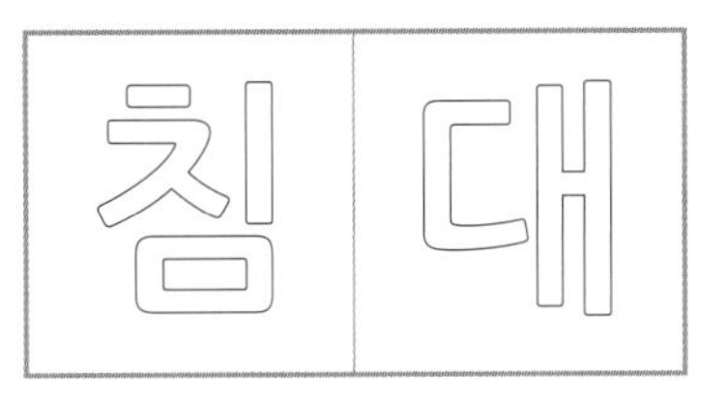

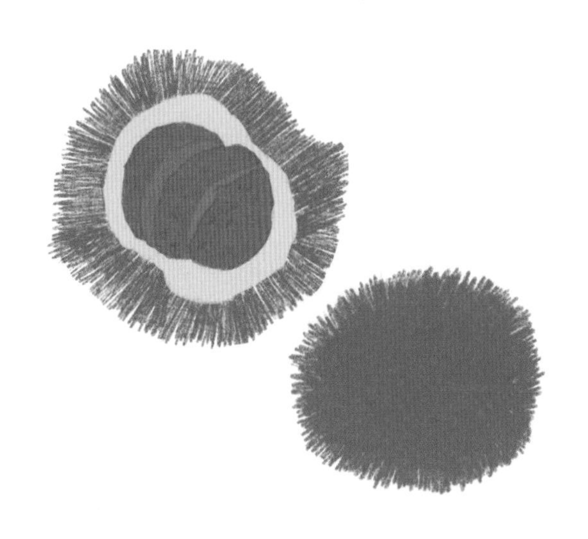

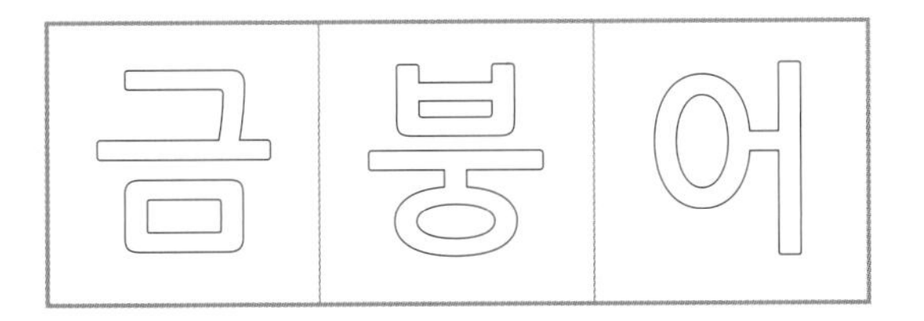

밤 송 이

받침 "ㅁ" 붙이기

받침 "ㅁ"이 붙으면 어떤 글자가 되는지 읽고 따라 쓰세요.

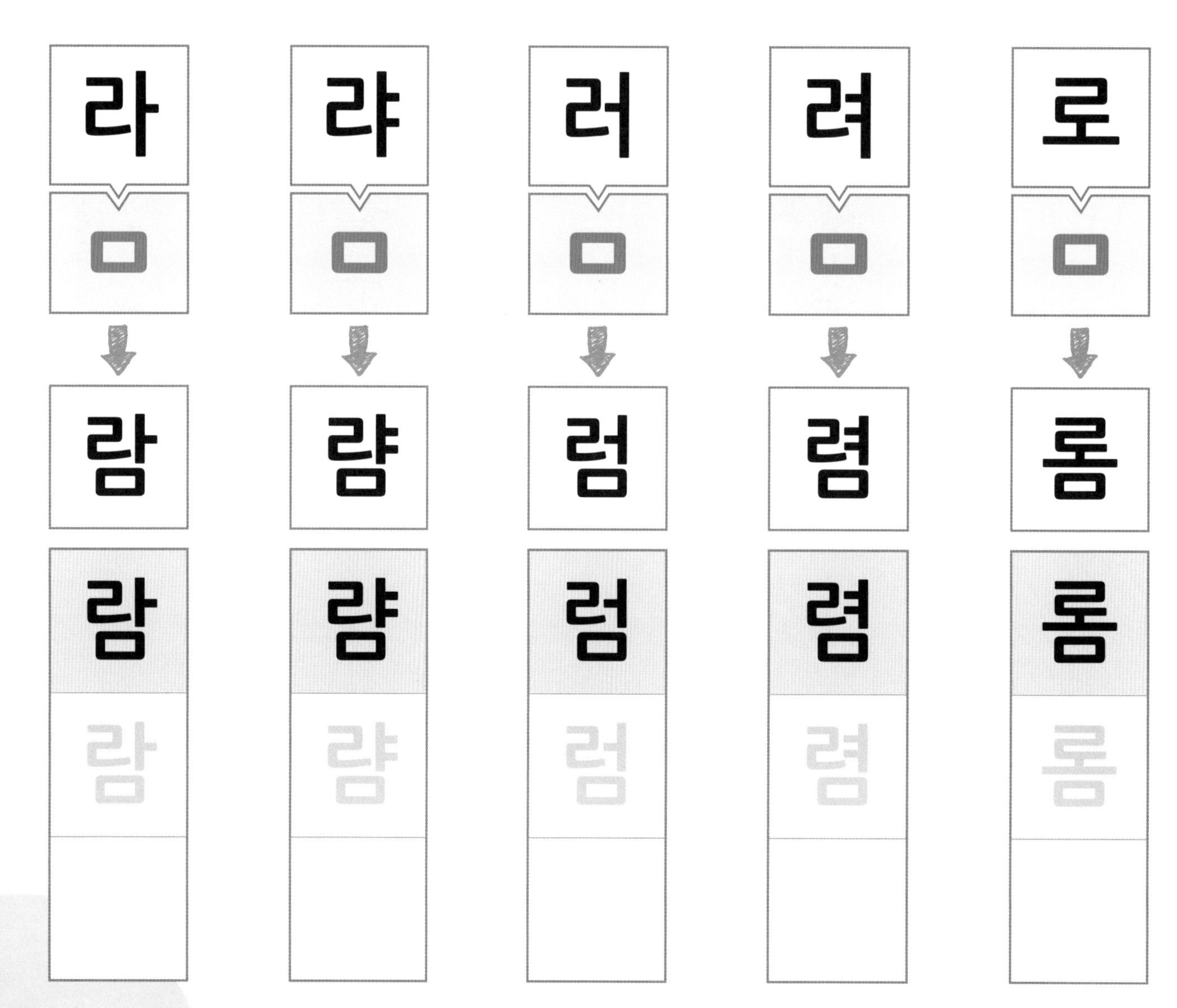

"바람"의 "람"은 "라"에 받침 "ㅁ"이 붙어서 만들어진 글자구나.

바	람

받침 "ㅁ"을 붙이면 새로운 음절이 만들어지는 원리를 알려 주세요. 그리고 받침의 발음에 주의하며 함께 읽어 보고, 혼자서 스스로 읽어 보는 연습도 할 수 있도록 도와주세요.

"아이스크림"의 "림"은 "리"에 받침 "ㅁ"이 붙어서 만들어진 글자야.

아	이	스	크	림

받침 "ㅁ"이 들어간 낱말 익히기

다음 그림에 알맞은 낱말을 찾아 선으로 잇고 따라 쓰세요.

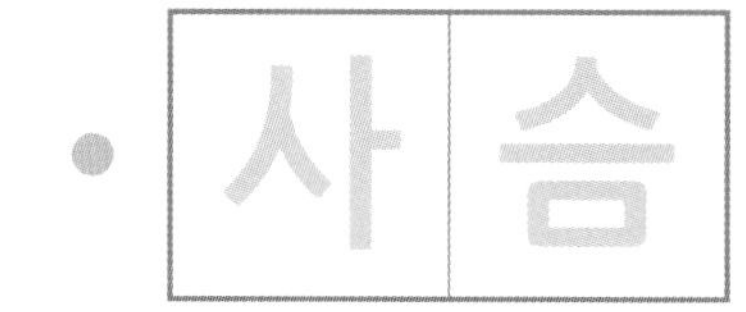

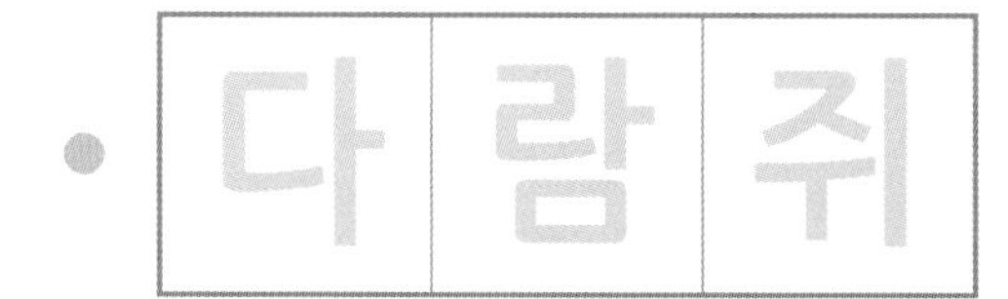

다음 그림을 보고 이름을 알맞게 쓴 것을 찾아 ○표 하세요.

길치

김치

그림

그립

임긍님

임금님

솜사탕

손사탕

✪ 빈칸에 들어갈 글자를 보기 에서 찾아 쓰고 낱말 퍼즐을 완성하세요.

보기

몸 름 감 잠

받침 "ㅁ"이 들어간 이야기 읽기

✪ 받침 "ㅁ"이 들어간 낱말을 살펴보면서 이야기를 읽어 보세요.

밤이 오고, 잠이 와요.

쿵쿵!

침대 아래에서 곰이 나타나 도망쳐요!

바다로 가서 잠수함에 타요.

해초 사이로 가요.

마침내 땅으로 오니, 아침이네요.

1. 다음에서 받침 "ㅁ"이 들어간 낱말을 찾아 밑줄을 긋고, 받침 "ㅁ"이 들어간 낱말에 알맞은 그림을 선으로 이으세요.

❶ 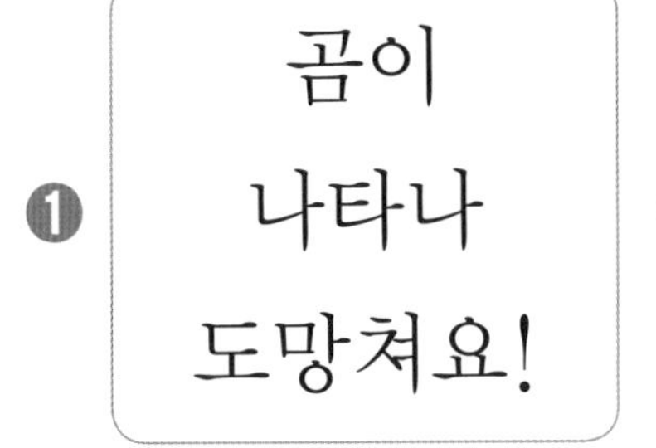

❷ 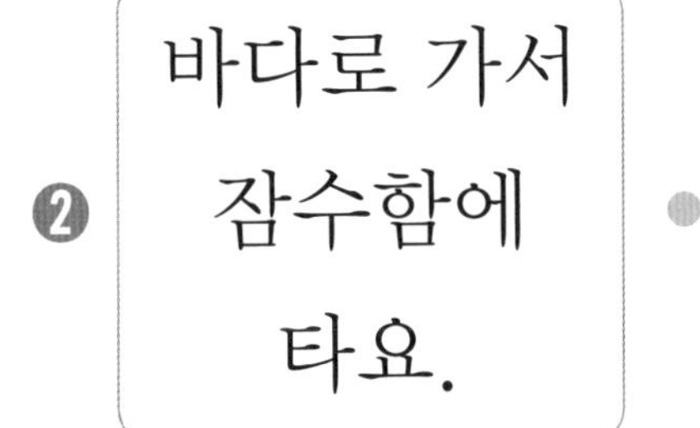

2. 다음 이야기에서 나온 받침 "ㅁ"이 들어간 낱말을 알맞게 따라 쓰세요.

침대 아래에서 곰이 나타나 도망쳐요!

바다로 가서 잠수함에 타요. ……

마침내 땅으로 오니, 아침이네요.

받침 "ㄴ"을 알아보아요

받침 "니은"

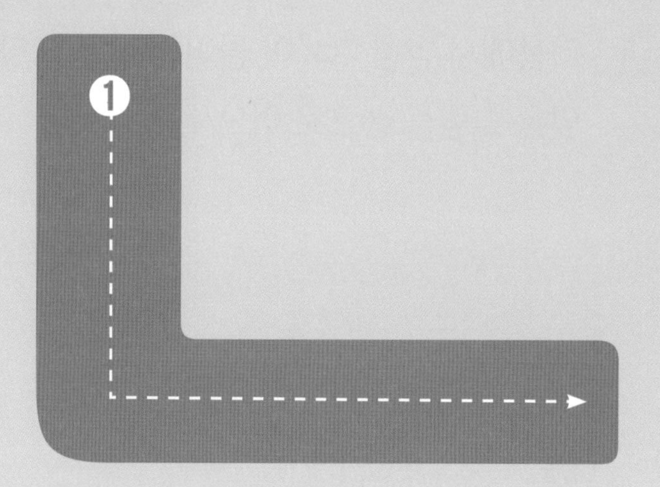

왕자님이 공주님을 구할 수 있도록 받침 "ㄴ"이 들어간 글자를 따라 선으로 이으세요.

학부모 TIP 받침 "ㄴ"이 붙으면 새로운 글자가 된다는 것을 이해할 수 있도록 지도해 주시고, 받침 "ㄴ"이 들어간 낱말의 모양을 익힐 수 있도록 도와주세요.

받침 “ㄴ”이 들어간 글자 찾기

받침 “ㄴ”이 들어 있는 글자를 찾아 ○표 하고, 받침 “ㄴ”에 색칠하세요.

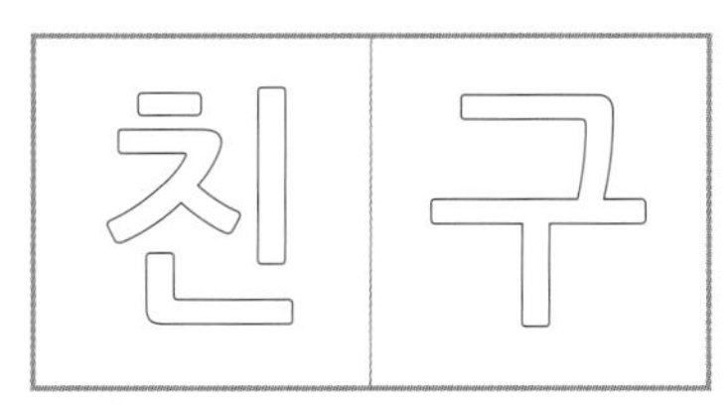

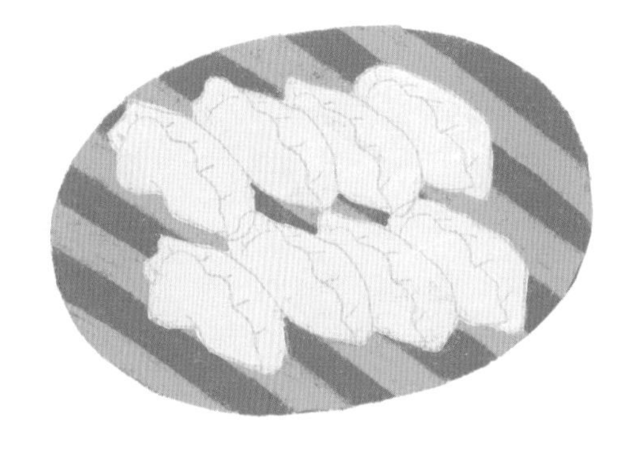

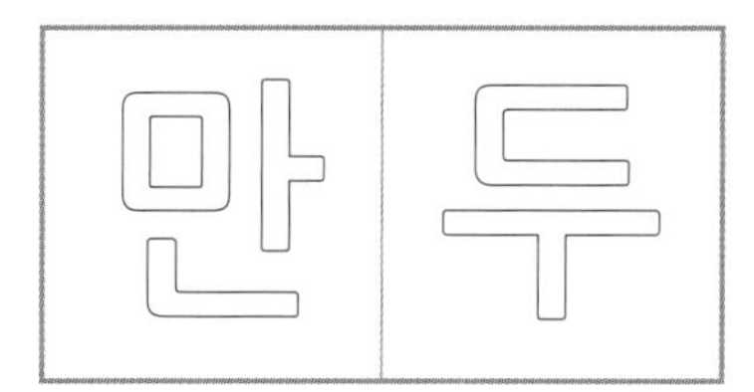

간	호	사

눈	사	람

받침 "ㄴ" 붙이기

받침 "ㄴ"이 붙으면 어떤 글자가 되는지 읽고 따라 쓰세요.

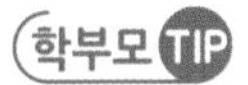

받침 "ㄴ"을 붙여 만들어진 새로운 음절을 알맞게 따라 쓰도록 도와주세요. 그리고 받침의 발음에 주의하며 여러 번 읽는 연습을 할 수 있도록 해 주세요.

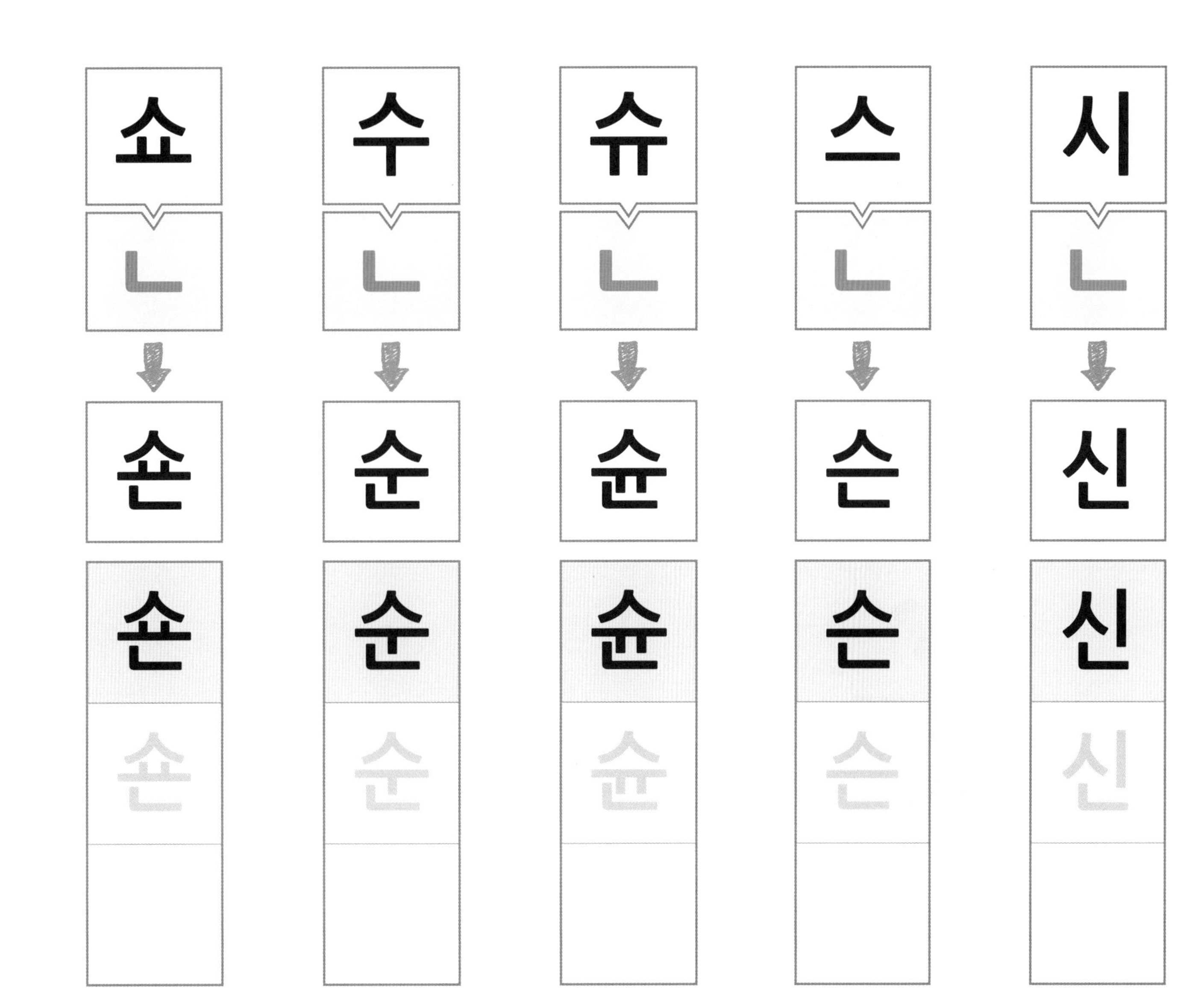

받침 "ㄴ"이 들어간 낱말 익히기

✪ 다음 그림에 알맞은 낱말을 찾아 선으로 잇고 따라 쓰세요.

✪ 다음 그림을 보고 받침 "ㄴ"을 알맞게 넣어 낱말을 완성하세요.

레	모

부	수

빈칸에 들어갈 글자를 보기에서 찾아 쓰고 낱말 퍼즐을 완성하세요.

받침 “ㄴ”이 들어간 이야기 읽기

받침 “ㄴ”이 들어간 낱말을 살펴보면서 이야기를 읽어 보세요.

연아, 삐지기 대장인 내 동생 데려가.

내 동생은 엄마가 나 안으면 화내. 또 아빠가 내 칭찬해도 삐져.

하지만…… 귀여워. 조그마한 손이 나에게 다가오면 기쁘지.

아니다. 연아, 귀여운 내 동생 데려가지 마.

1. 다음에서 받침 "ㄴ"이 들어간 낱말을 찾아 밑줄을 긋고, 받침 "ㄴ"이 들어간 낱말에 알맞은 그림을 선으로 이으세요.

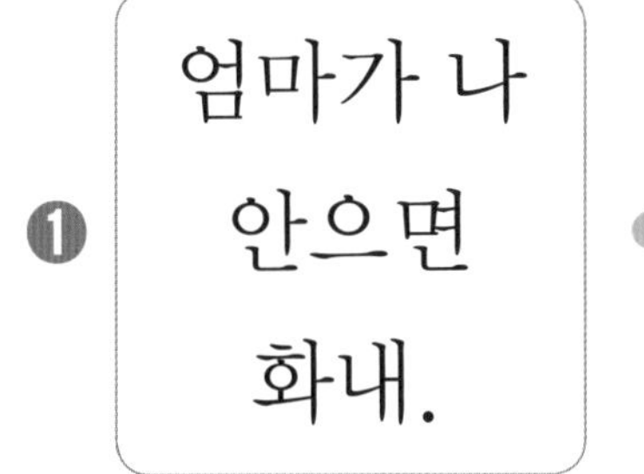

❷ 아빠가 내 칭찬해도 삐져.

2. 다음 이야기에서 나온 받침 "ㄴ"이 들어간 낱말을 알맞게 따라 쓰세요.

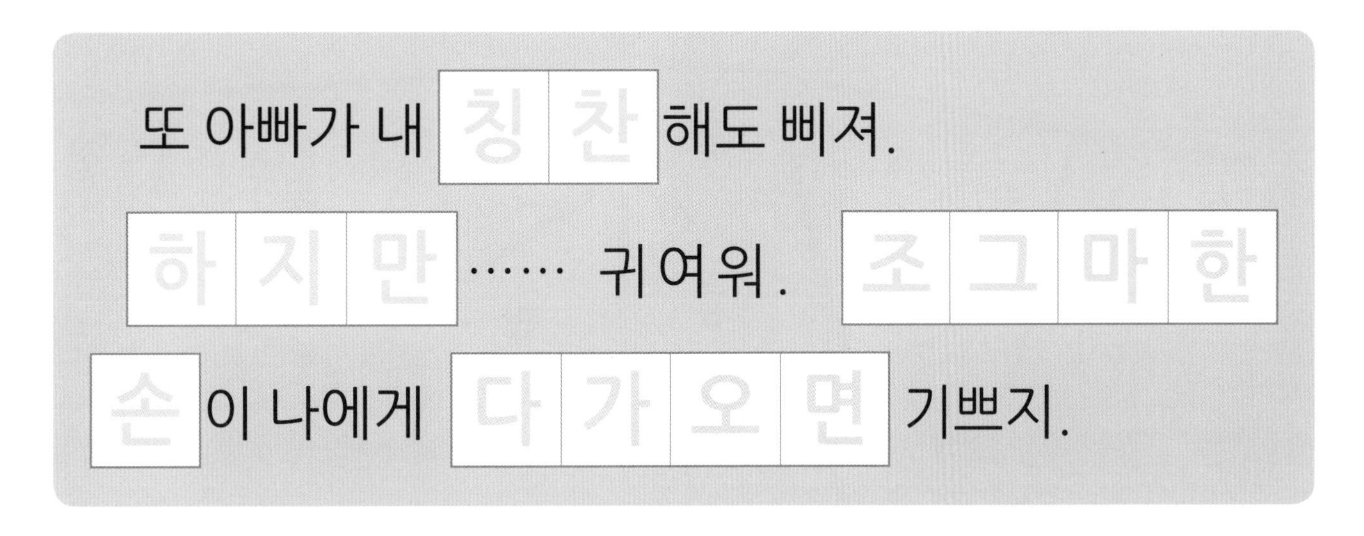

받침 "ㄹ"을 알아보아요

받침 "리을"

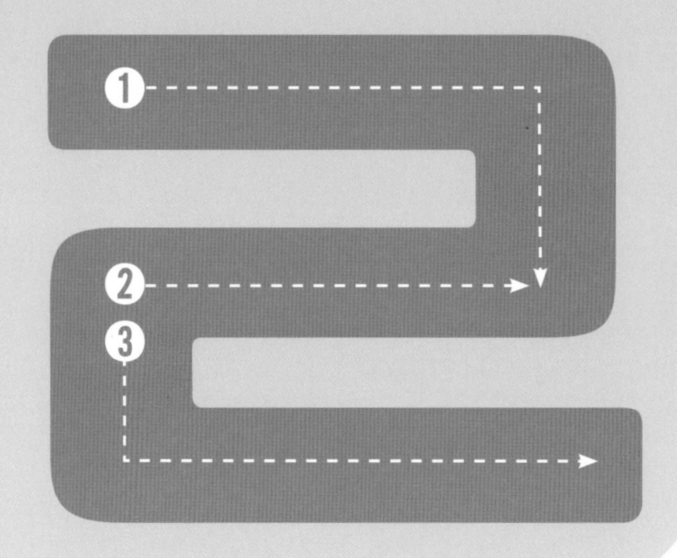

받침 "ㄹ"이 들어간 글자를 찾아 색칠하고, 무엇이 나타나는지 알아보세요.

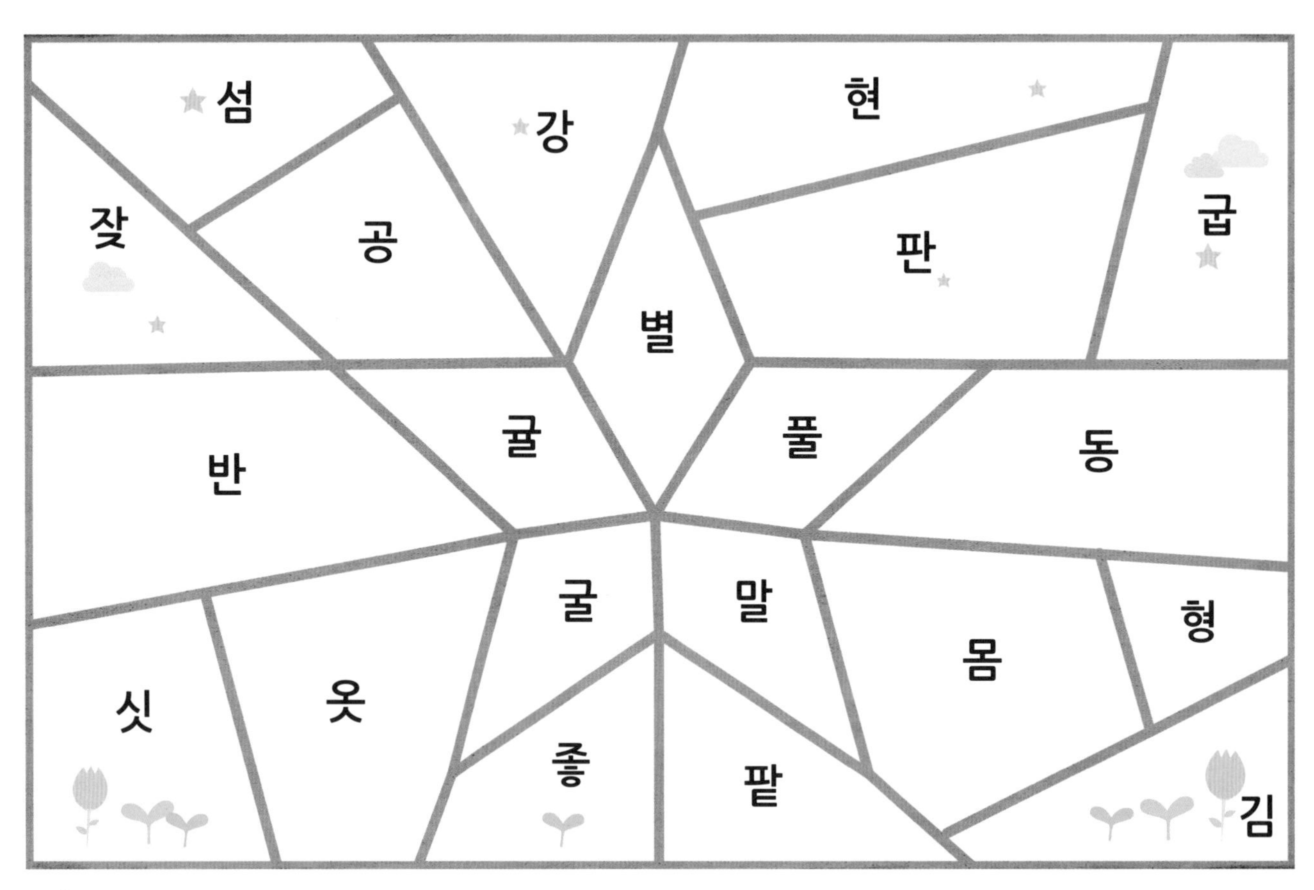

학부모 TIP 그림에 나타난 별을 [벼], [벼-얼], [별]의 순서대로 읽어 보게 하세요. "벼"에 받침 "ㄹ"이 붙으면 "별"이라는 글자가 된다는 것을 확실하게 알려 주세요.

받침 "ㄹ"이 들어간 글자 찾기

받침 "ㄹ"이 들어 있는 글자를 찾아 ○표 하고, 받침 "ㄹ"에 색칠하세요.

겨울

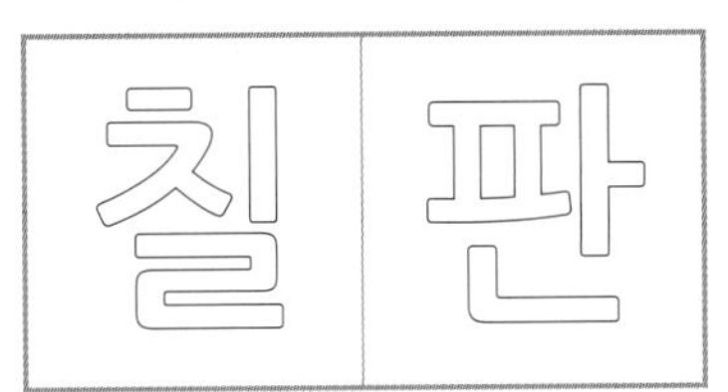

코알라

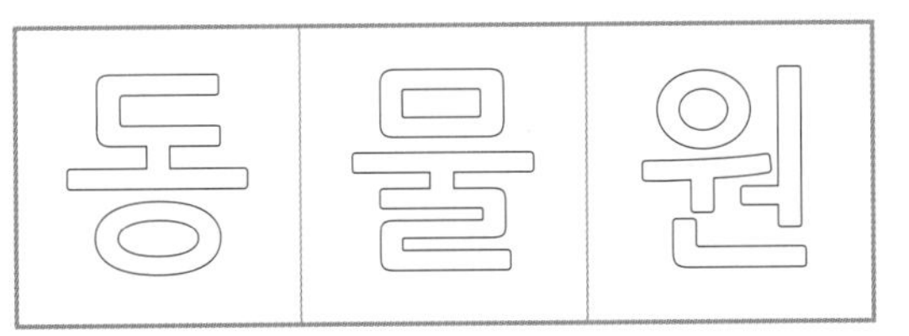

받침 "ㄹ" 붙이기

✪ 받침 "ㄹ"이 붙으면 어떤 글자가 되는지 읽고 따라 쓰세요.

"불자동차"의 "불"은 "부"에 받침 "ㄹ"이 붙어서 만들어진 글자야.

불	자	동	차

받침이 없는 음절에 받침 "ㄹ"이 붙어 새로운 음절이 되는 짜임을 이해할 수 있도록 도와주시고, 알맞게 쓰는 방법도 지도해 주세요.

받침 "ㄹ"이 들어간 낱말 익히기

✪ 다음 받침 "ㄹ"이 들어간 낱말을 따라 쓰세요. 그리고 받침 "ㄹ"이 들어간 글자가 같은 낱말끼리 선으로 이으세요.

빈칸에 들어갈 글자를 보기 에서 찾아 쓰고 낱말 퍼즐을 완성하세요.

보기

돌 달 술

받침 "ㄹ"이 들어간 이야기 읽기

받침 "ㄹ"이 들어간 낱말을 살펴보면서 이야기를 읽어 보세요.

동물들이 모여 이야기를 해요.

"우리를 가장 기쁘게 하는 건 무얼까?"

벌이 당당하게 이야기해요. "꿀이야."

소가 힘차게 이야기해요. "풀이지."

그러자 나무늘보가 느리게 이야기해요.

"그보다…… 우리를 가장 기쁘게 하는 건 …… 우리가 늘 함께한다는 거야."

1. 다음에서 받침 "ㄹ"이 들어간 낱말을 찾아 밑줄을 긋고, 받침 "ㄹ"이 들어간 낱말에 알맞은 그림을 선으로 이으세요.

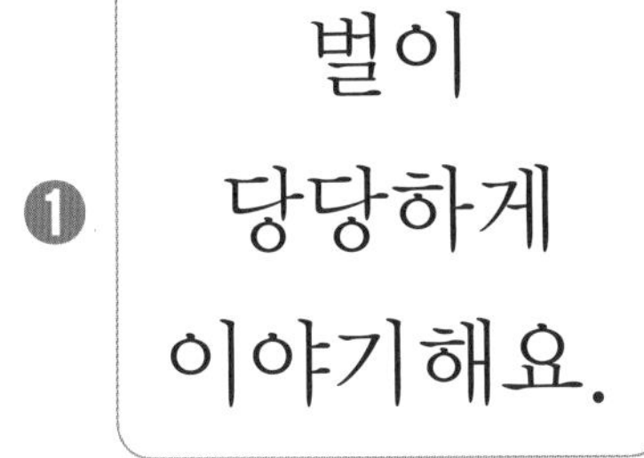

❶ 벌이 당당하게 이야기해요.

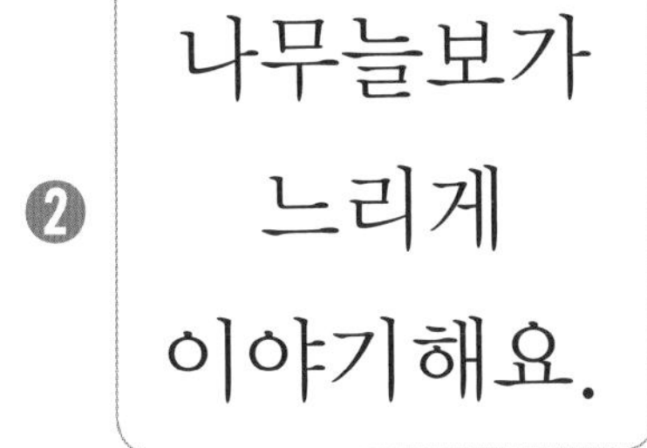

❷ 나무늘보가 느리게 이야기해요.

2. 다음 이야기에서 나온 받침 "ㄹ"이 들어간 낱말을 알맞게 따라 쓰세요.

벌이 당당하게 이야기해요. "꿀이야."

소가 힘차게 이야기해요. "풀이지."

그러자 나무늘보가 느리게 이야기해요.

받침 "ㄱ"을 알아보아요

받침 "기역"

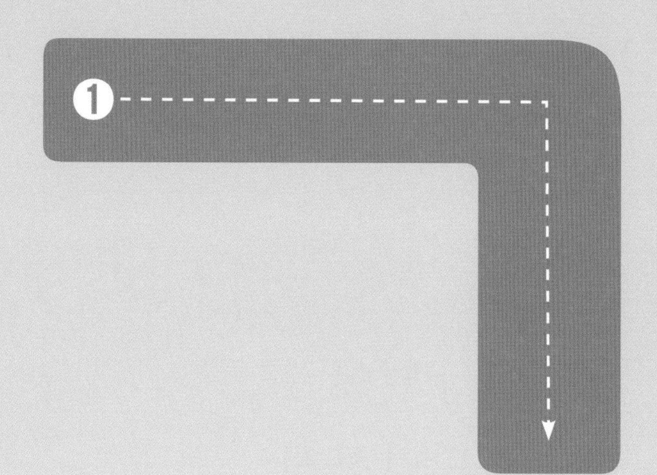

다음 친구들이 들고 있는 글자와 받침 "ㄱ"이 만나면
어떤 글자가 될까요? 같은 색깔의 선을 따라가 보세요.

학부모 TIP 받침 "ㄱ"이 붙으면 새로운 글자가 된다는 것을 이해할 수 있도록 도와주시고, 받침 "ㄱ"이 들어간 글자의 모양을 익힐 수 있도록 지도해 주세요.

받침 "ㄱ"이 들어간 글자 찾기

받침 "ㄱ"이 들어 있는 글자를 찾아 ○표 하고, 받침 "ㄱ"에 색칠하세요.

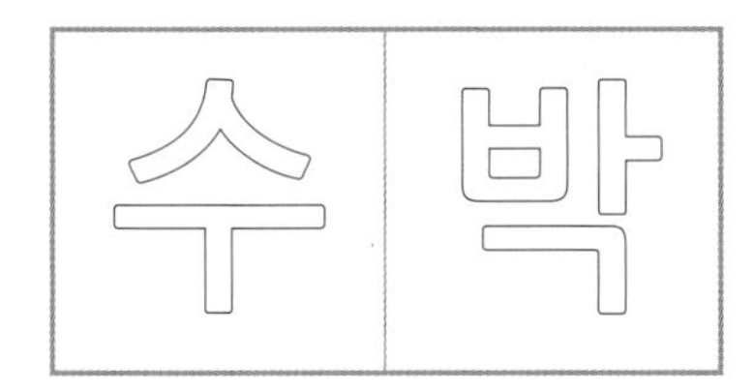

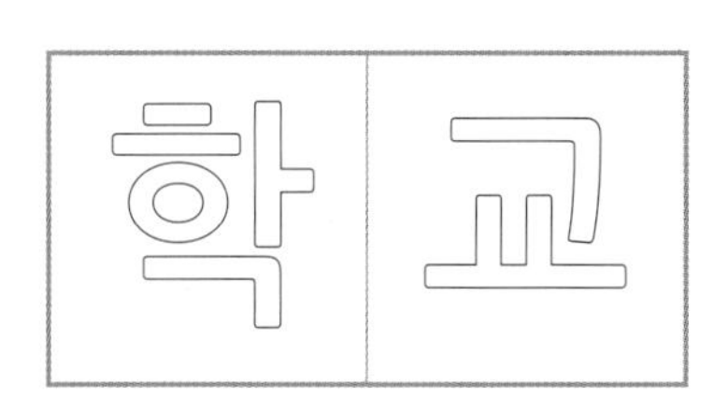

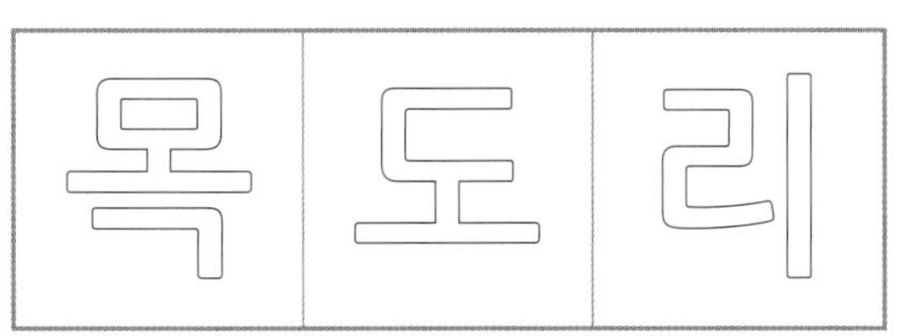

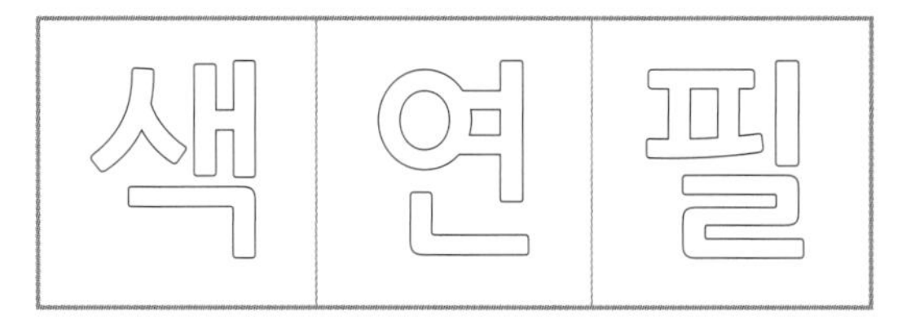

받침 "ㄱ" 붙이기

받침 "ㄱ"이 붙으면 어떤 글자가 되는지 읽고 따라 쓰세요.

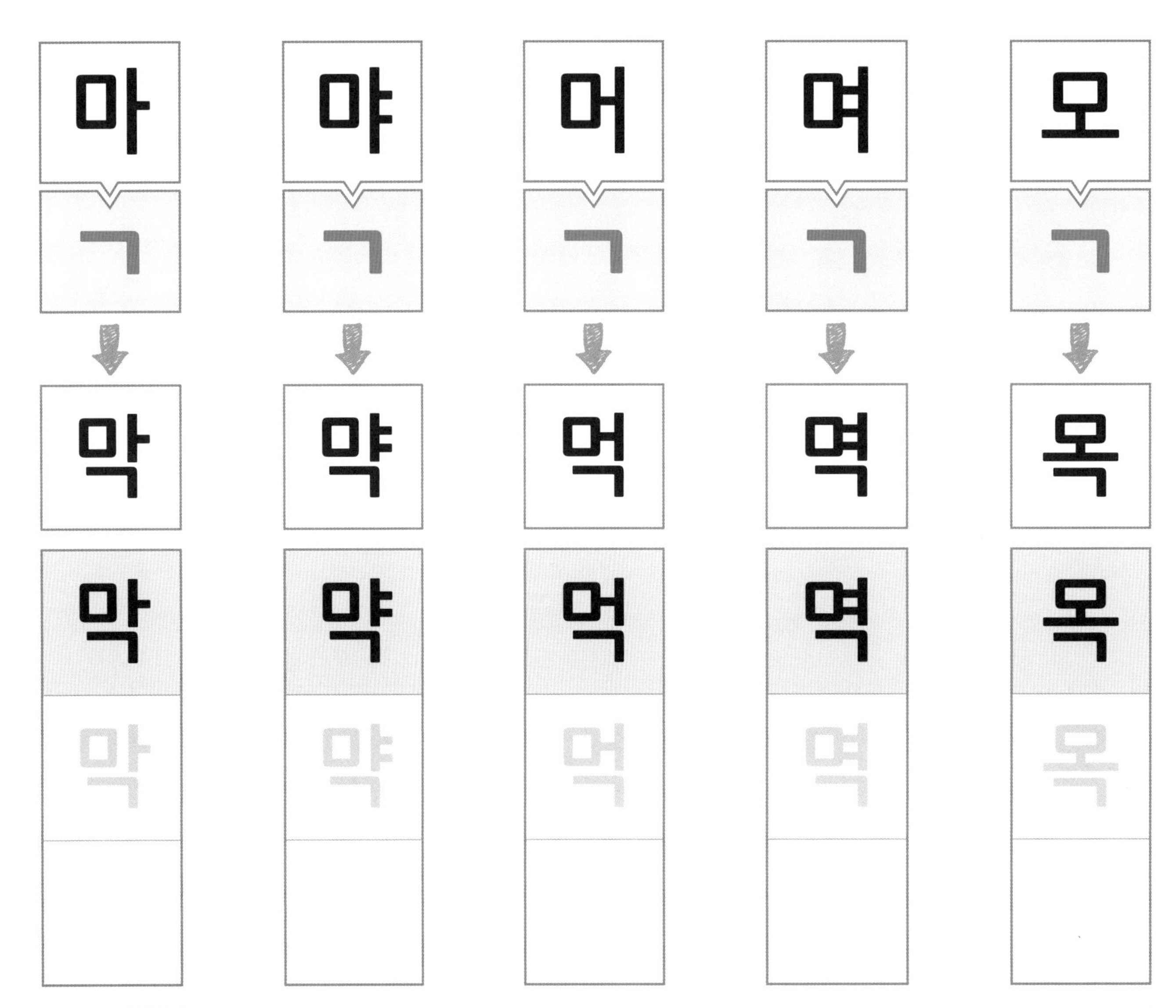

"막내"의 "막"은 "마"에 받침 "ㄱ"이 붙어서 만들어진 글자구나.

막	내

학부모 TIP 받침 "ㄱ"이 붙으면 새로운 음절이 만들어진다는 것을 깨달을 수 있도록 도와주세요. 직접 읽으며 스스로 써 볼 수 있도록 해 주세요.

묘	무	유	므	미
ㄱ	ㄱ	ㄱ	ㄱ	ㄱ
묙	묵	육	믁	믹
묙	묵	육	믁	믹
묙	묵	육	믁	믹

"먹이"의 "먹"은 "머"에 받침 "ㄱ"이 붙어서 만들어진 글자야.

먹	이

받침 "ㄱ"이 들어간 낱말 익히기

✪ 다음 받침 "ㄱ"이 들어간 낱말을 따라 쓰고, 각 낱말에 알맞은 그림을 찾아 선으로 이으세요.

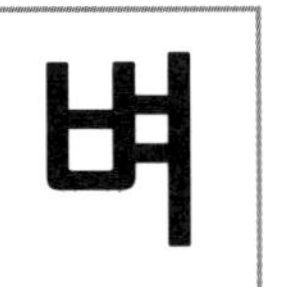

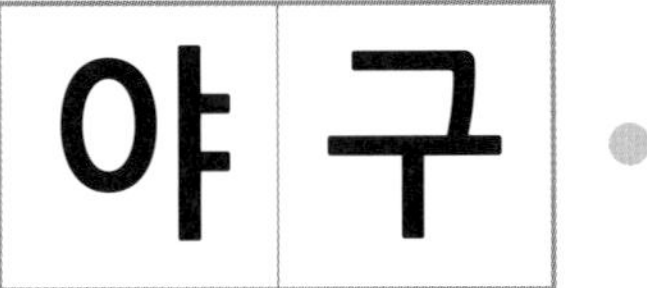

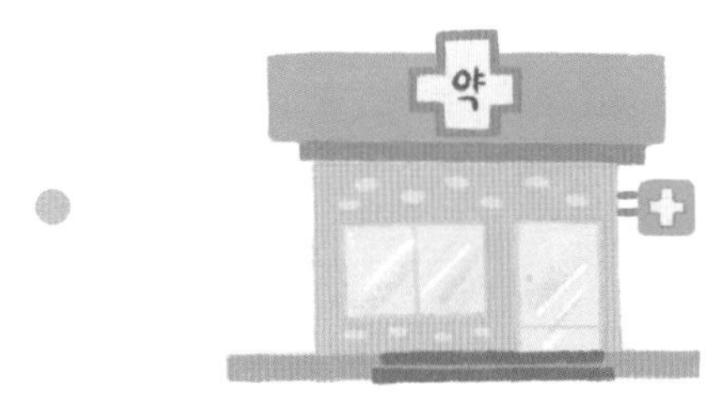

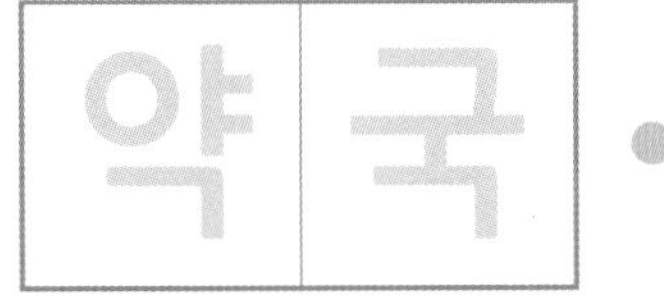

독 서

✪ 빈칸에 들어갈 글자를 보기 에서 찾아 쓰고 낱말 퍼즐을 완성하세요.

보기

국 옥 복 독

받침 "ㄱ"이 들어간 이야기 읽기

✪ 받침 "ㄱ"이 들어간 낱말을 살펴보면서 이야기를 읽어 보세요.

식탁 위로 조그마한 손이 올라와 사과를 가져가요.

사각사각, 꿀꺽

손이 또 올라와 과자도 가져가요.

바삭바삭, 꿀꺽

혼자 몰래 꿀꺽꿀꺽 삼키다가 결국은 딸꾹딸꾹

욕심쟁이 내 동생.

1. 다음에서 받침 "ㄱ"이 들어간 낱말을 찾아 밑줄을 긋고, 받침 "ㄱ"이 들어간 낱말에 알맞은 그림을 선으로 이으세요.

❶ 식탁 위로 조그마한 손이 올라와 사과를 가져가요.

❷ 욕심쟁이 내 동생

2. 다음 이야기에서 나온 받침 "ㄱ"이 들어간 낱말을 알맞게 따라 쓰세요.

혼자 몰래 꿀 꺽 꿀 꺽 삼키다가 결 국 은 딸 꾹 딸 꾹

욕 심 쟁 이 내 동생.

받침 "ㅂ"을 알아보아요

받침 "비읍"

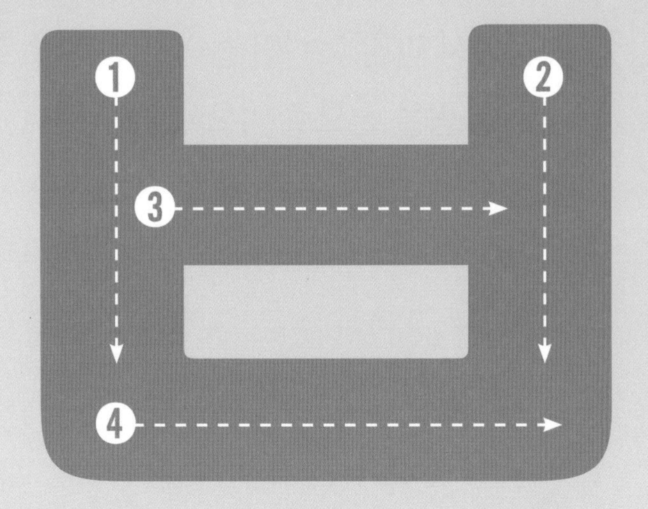

받침 "ㅂ"이 들어간 글자를 찾아 색칠하고 무엇이 나타나는지 알아보세요.

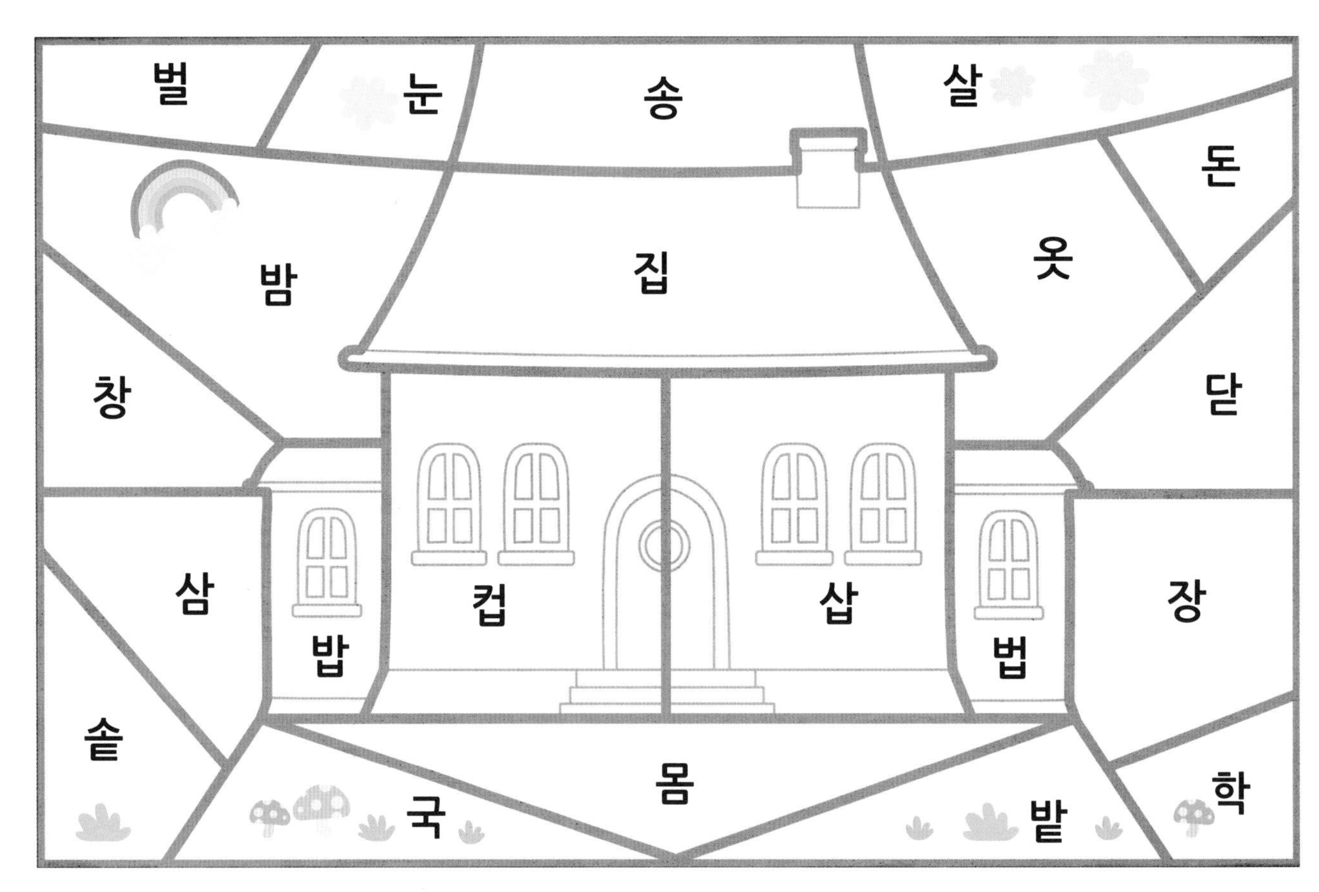

학부모 TIP 그림에 나타난 "집"을 [지], [지-입], [집]의 순서대로 읽어 보게 하세요. "지"에 받침 "ㅂ"이 붙으면 "집"이라는 새로운 글자가 된다는 것을 확실하게 알려 주세요.

받침 “ㅂ”이 들어간 글자 찾기

받침 “ㅂ”이 들어 있는 글자를 찾아 ○표 하고, 받침 “ㅂ”에 색칠하세요.

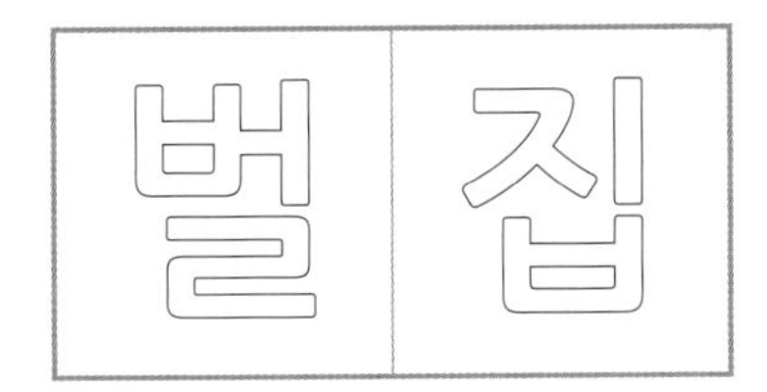

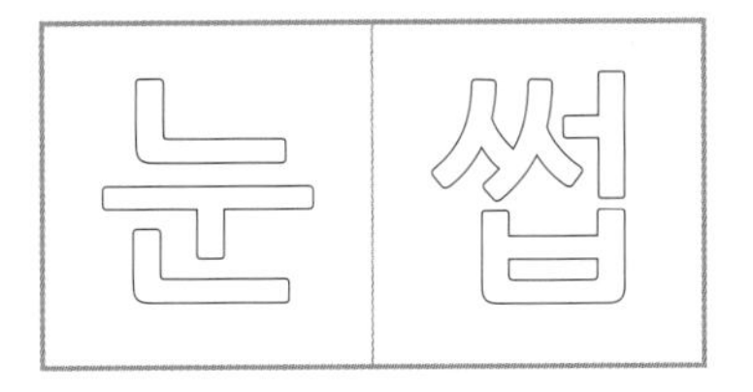

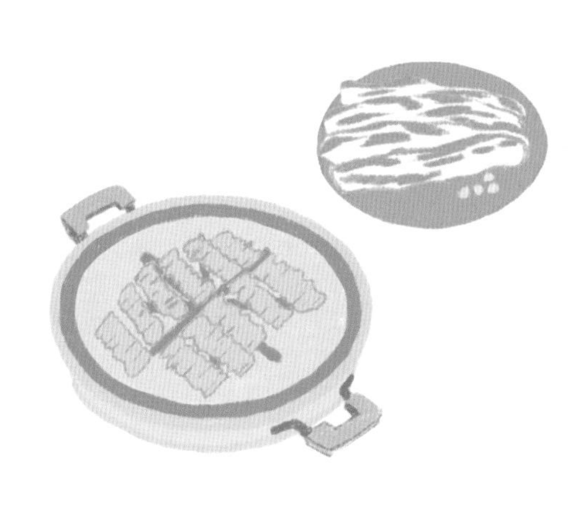

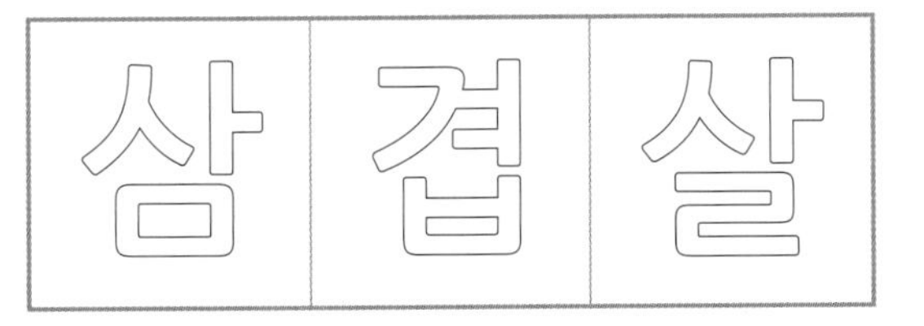

마	법	사

받침 "ㅂ" 붙이기

받침 "ㅂ"이 붙으면 어떤 글자가 되는지 읽고 따라 쓰세요.

"수업"의 "업"은 "어"에 받침 "ㅂ"이 붙어서 만들어진 글자구나.

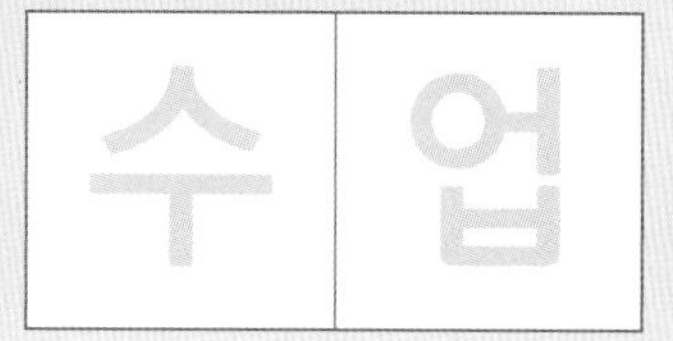

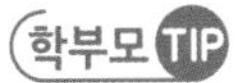

받침 "ㅂ"을 붙여 만들어진 새로운 음절을 알맞게 따라 쓰도록 도와주세요. 그리고 받침의 발음에 주의하며 여러 번 읽는 연습을 할 수 있도록 해 주세요.

받침 "ㅂ"이 들어간 낱말 익히기

✪ 다음 그림에 알맞은 낱말을 찾아 선으로 잇고 따라 쓰세요.

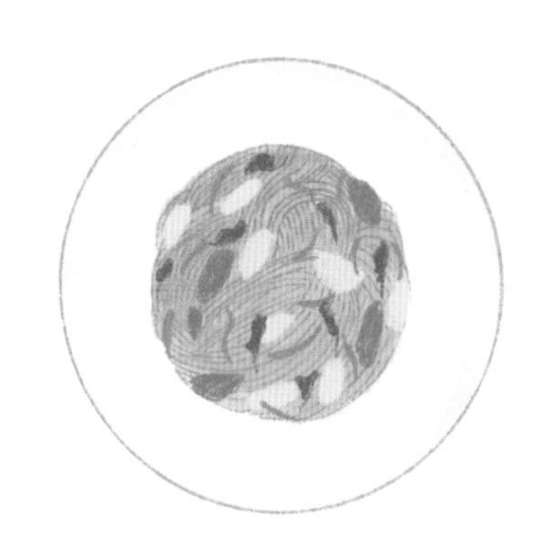

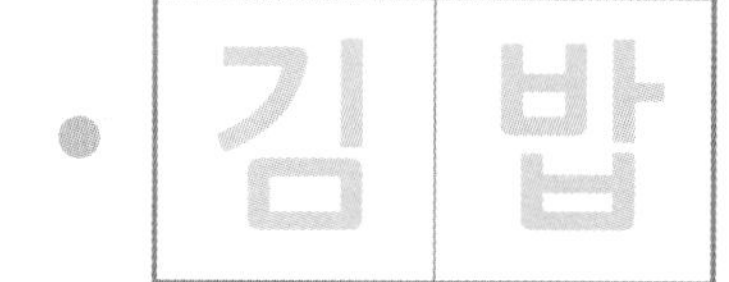

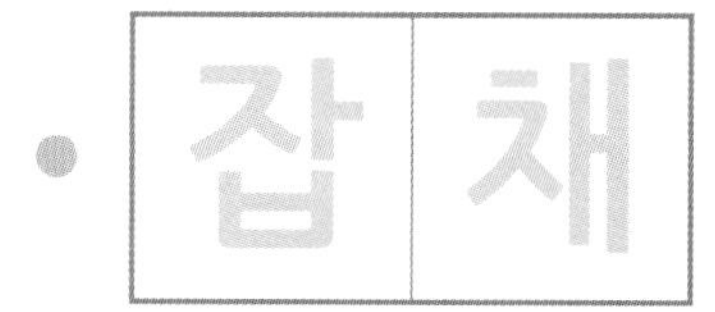

✪ 다음 그림을 보고 이름을 알맞게 쓴 것을 찾아 ○표 하세요.

낙엽

낙연

서랑

서랍

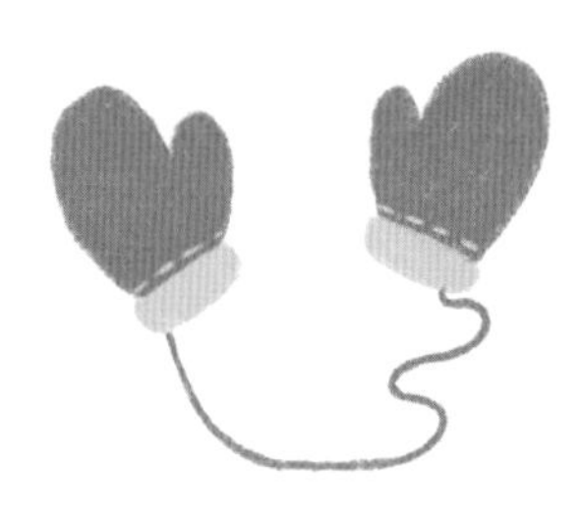

장감

장갑

문제집

문제직

빈칸에 들어갈 글자를 보기에서 찾아 쓰고 낱말 퍼즐을 완성하세요.

보기

집 합 잡

받침 "ㅂ"이 들어간 이야기 읽기

✪ 받침 "ㅂ"이 들어간 낱말을 살펴보면서 이야기를 읽어 보세요.

"마녀가 왕을 잡아간다!" 공주가 뛰어나와 말을 타려는 순간, 말발굽이 안 보여요. 마음이 급한 공주는 그냥 칼만 들고 마녀를 따라 달려가요.

드디어 마녀와 왕의 모습이 보여요! "거기 서라!"

왕은 공주의 외침에 놀란 마녀의 손을 뿌리치고 공주에게 달려가요. "고맙다, 공주야."

1. 다음에서 받침 "ㅂ"이 들어간 낱말을 찾아 밑줄을 긋고, 받침 "ㅂ"이 들어간 낱말에 알맞은 그림을 선으로 이으세요.

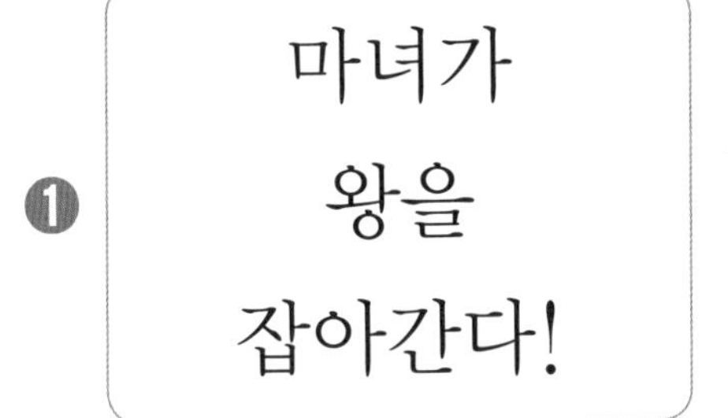

❷ 말을 타려는 순간, 말발굽이 안 보여요.

2. 다음 이야기에서 나온 받침 "ㅂ"이 들어간 낱말을 알맞게 따라 쓰세요.

"마녀가 왕을 [잡 아 간 다]!" 공주가 뛰어나와 말을 타려는 순간, [말 발 굽]이 안 보여요. 마음이 [급 한] 공주는 그냥 칼만 들고 마녀를 따라가요.

받침 "ㅅ"을 알아보아요

받침 "시옷"

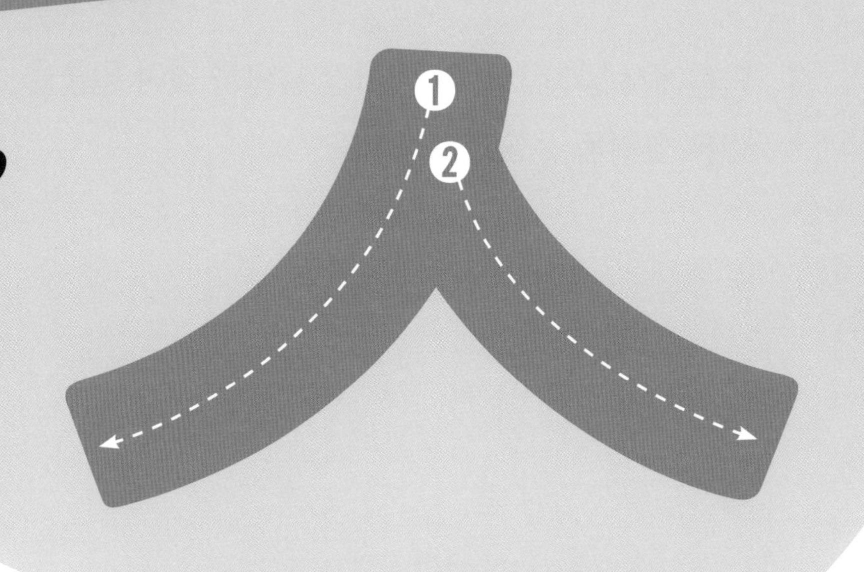

시장에 간 동물 친구들이 이름에 받침 "ㅅ"이 들어간 물건을 살 수 있도록 선으로 이으세요.

학부모 TIP 받침 "ㅅ"이 붙으면 새로운 글자가 된다는 것을 이해할 수 있도록 지도해 주시고 받침 "ㅅ"이 들어간 글자를 찾을 수 있도록 도와주세요.

받침 "ㅅ"이 들어간 글자 찾기

받침 "ㅅ"이 들어 있는 글자를 찾아 ○표 하고, 받침 "ㅅ"에 색칠하세요.

연	못

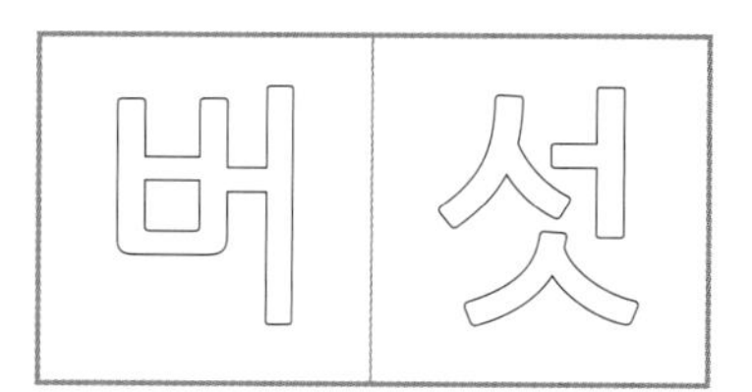

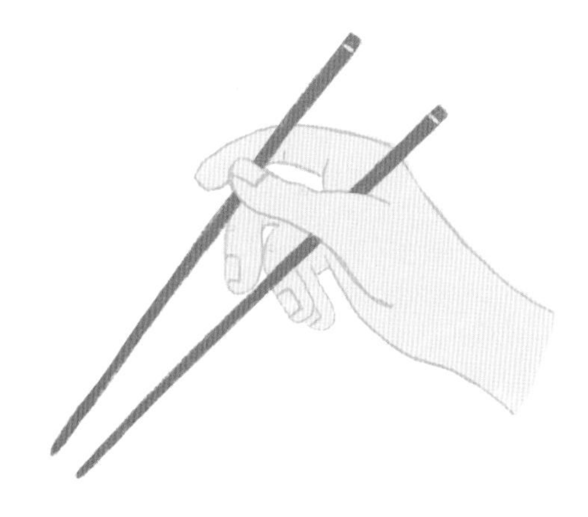

젓	가	락

돗	자	리

받침 "ㅅ" 붙이기

받침 "ㅅ"이 붙으면 어떤 글자가 되는지 읽고 따라 쓰세요.

"찻잔"의 "찻"은 "차"에 받침 "ㅅ"이 붙어서 만들어진 글자구나.

찻	잔

각 음절에 받침 "ㅅ"을 붙이면 새로운 음절이 된다는 것을 알려 주시고, 받침 "ㅅ"을 붙여 만들어진 새로운 음절을 알맞게 따라 쓰고 읽을 수 있도록 도와주세요.

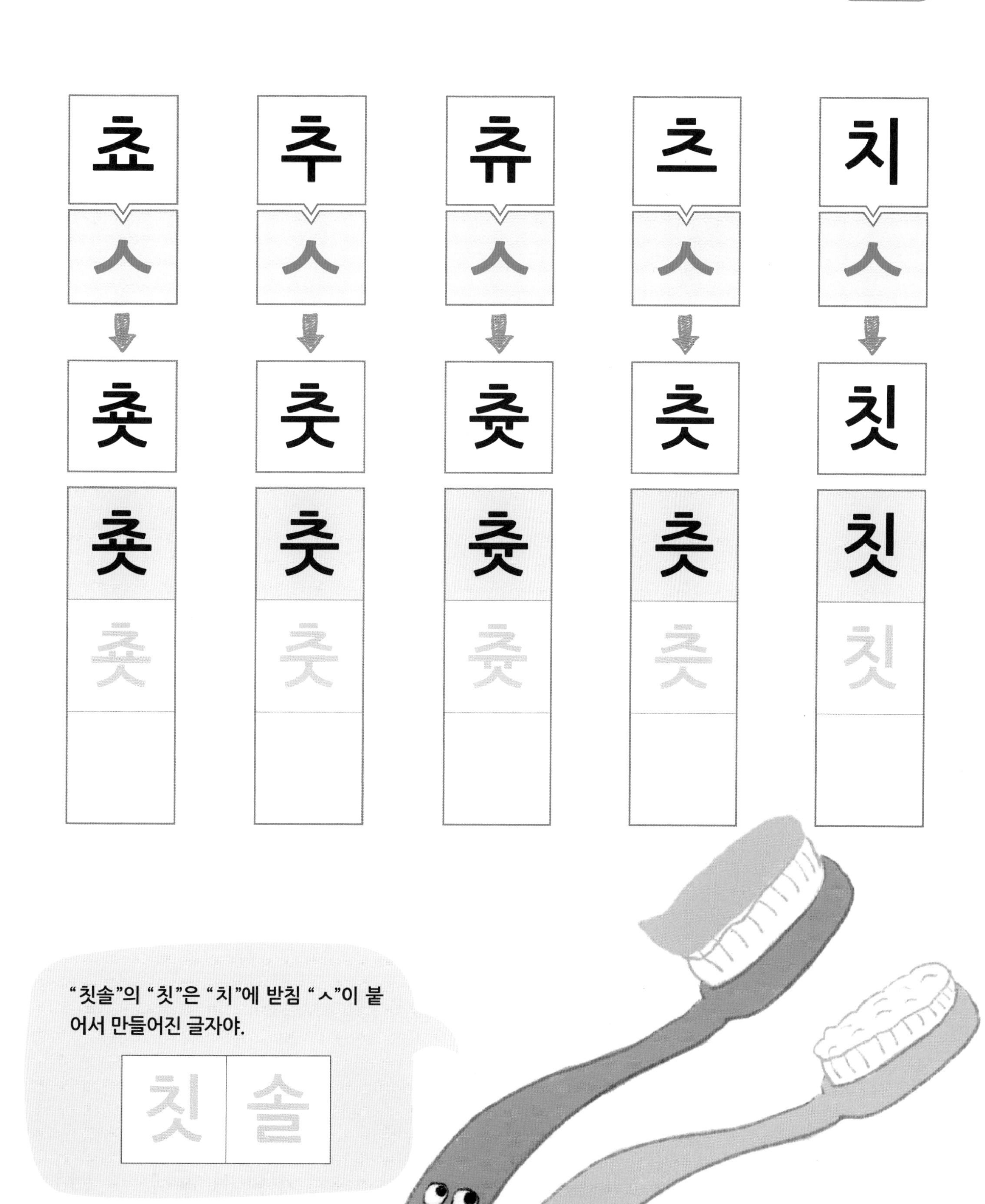

받침 "ㅅ"이 들어간 낱말 익히기

다음 그림을 보고 빈칸에 들어갈 알맞은 글자를 찾아 선으로 각각 이으세요.

다음 그림을 보고 받침 "ㅅ"을 알맞게 넣어 낱말을 완성하세요.

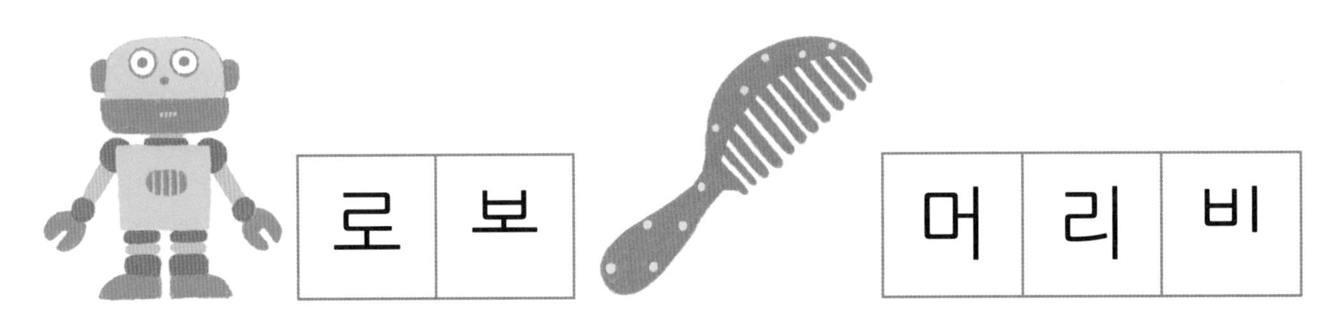

✪ 빈칸에 들어갈 글자를 보기에서 찾아 쓰고 낱말 퍼즐을 완성하세요.

보기

넛 핫 빗 엿

받침 "ㅅ"이 들어간 이야기 읽기

받침 "ㅅ"이 들어간 낱말을 살펴보면서 이야기를 읽어 보세요.

이들이 입안에서 수군수군 이야기를 해요.

"송곳니는 모양이 이상해." 송곳니는 슬퍼요.

어느 날, 젓가락 사이에 낀 큰 버섯이 입안으로 들어와요. "앗, 버섯이 너무 커! 누가 좀 도와줘!"

그때, 송곳니가 움직이자 버섯이 잘게 부서져요.

"송곳니야, 우리가 놀려서 미안해."

"아니야."

송곳니는 다시 웃어요.

1. 다음에서 받침 "ㅅ"이 들어간 낱말을 찾아 밑줄을 긋고, 받침 "ㅅ"이 들어간 낱말에 알맞은 그림을 선으로 이으세요.

❶ 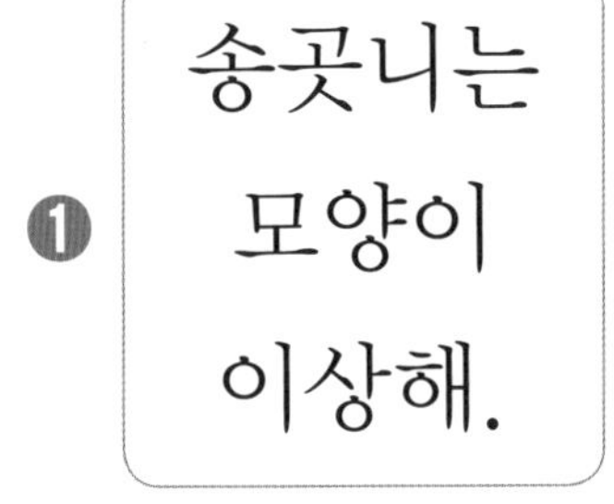

❷ 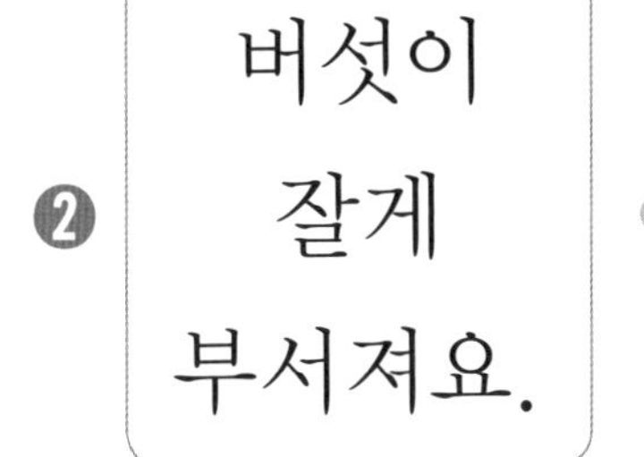

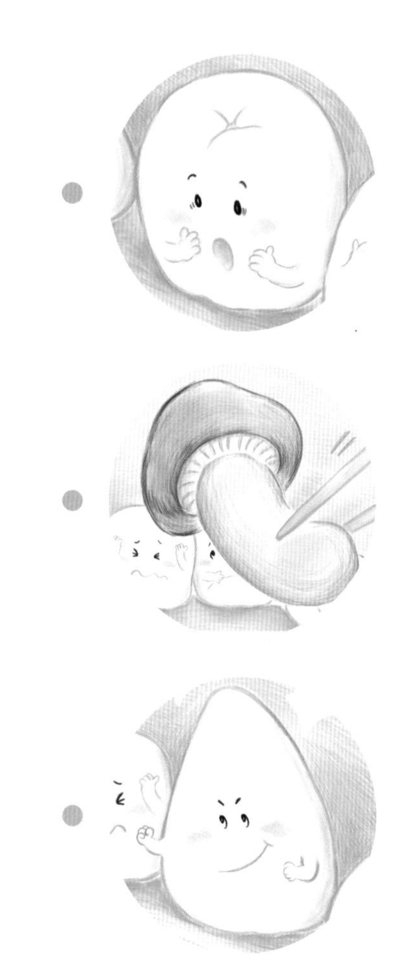

2. 다음 이야기에서 나온 받침 "ㅅ"이 들어간 낱말을 알맞게 따라 쓰세요.

송곳니는 슬퍼요.

어느 날, 젓가락 사이에 낀 큰 버섯이

입안으로 들어와요. "앗, 버섯이 너무 커!"

받침 "ㄷ", "ㅈ", "ㅊ"을 알아보아요

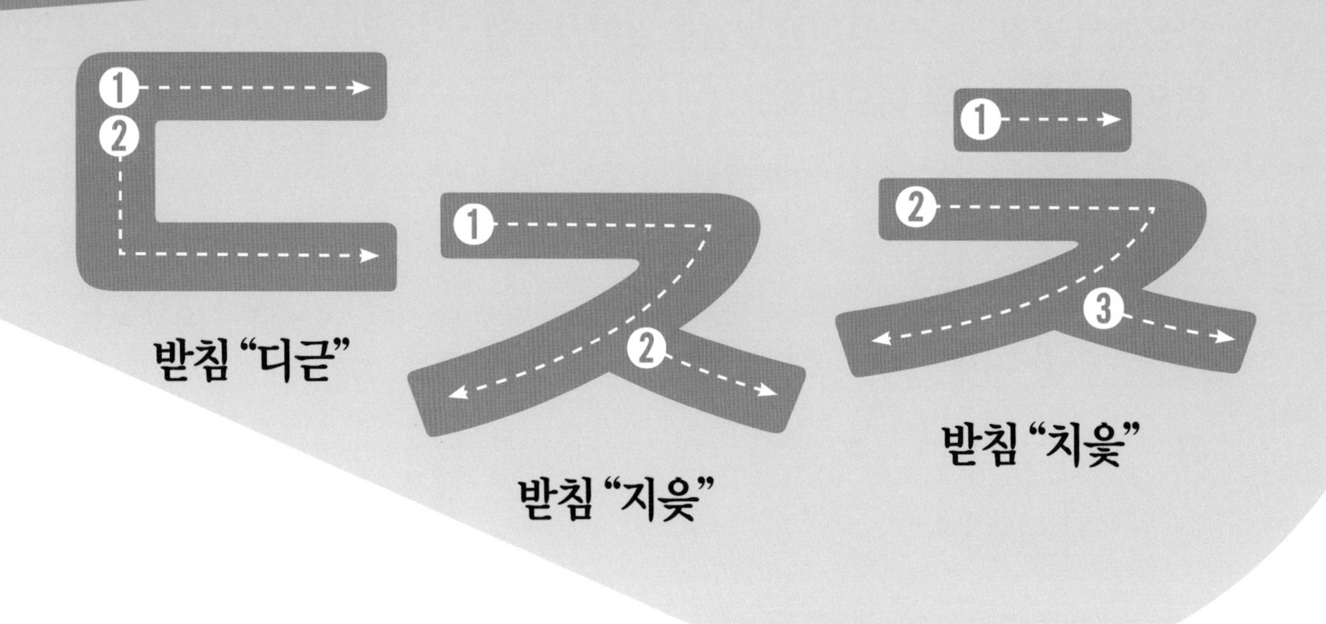

받침 "ㄷ", "ㅈ", "ㅊ"이 들어간 글자를 찾아 색칠하고 무엇이 나타나는지 알아보세요.

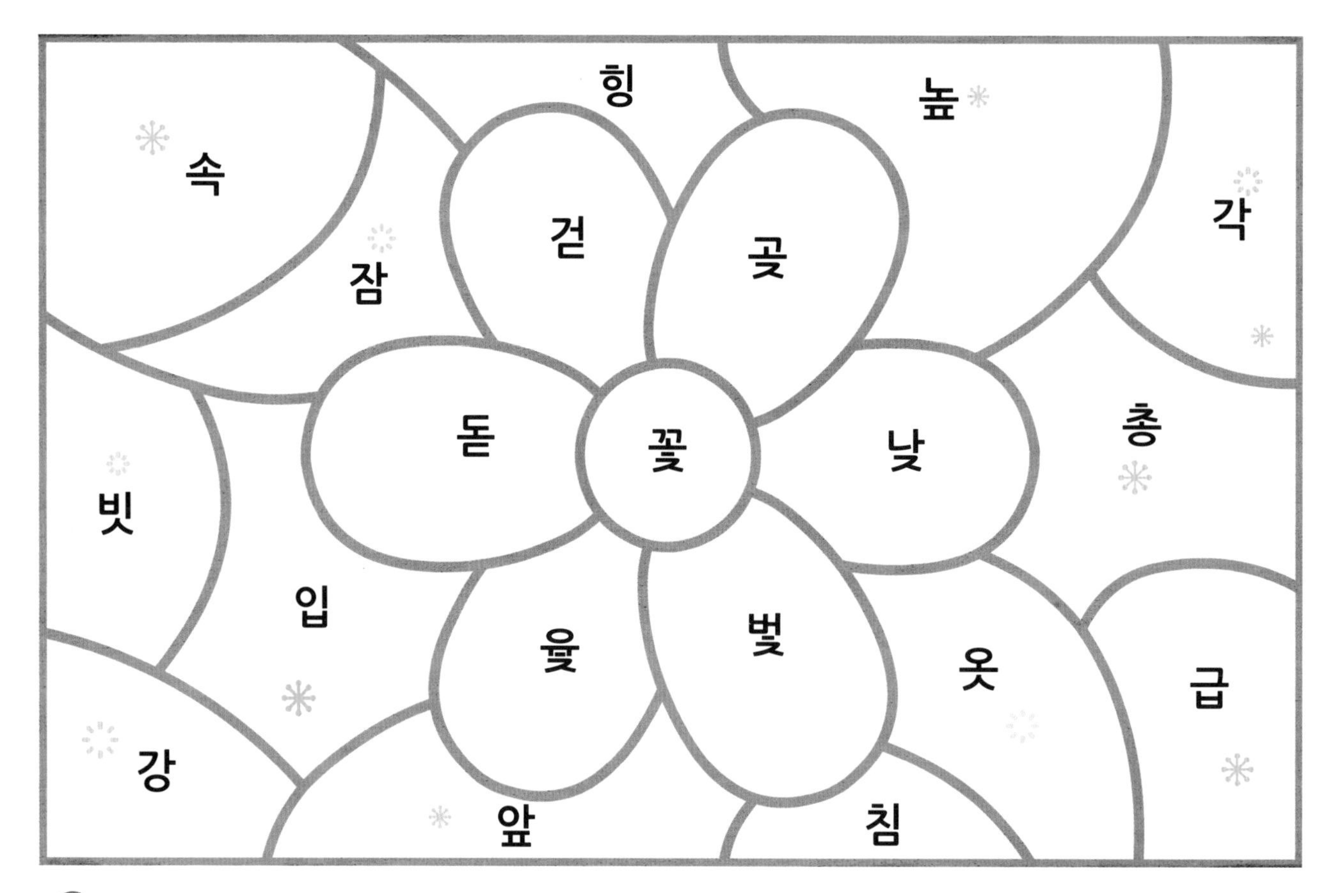

학부모 TIP 받침이 없는 글자에 받침 "ㄷ", "ㅈ", "ㅊ"이 붙으면 받침이 있는 새로운 글자가 된다는 것을 알려 주세요. 그리고 그림에 나타난 "꽃"을 [꼬], [꼬–옫], [꼳]의 순서대로 읽어 보게 하세요.

받침 “ㄷ”, “ㅈ”, “ㅊ”이 들어간 글자 찾기

받침 “ㄷ”, “ㅈ”, “ㅊ”이 들어 있는 글자를 찾아 ○표 하고, 받침 “ㄷ”, “ㅈ”, “ㅊ”에 색칠하세요.

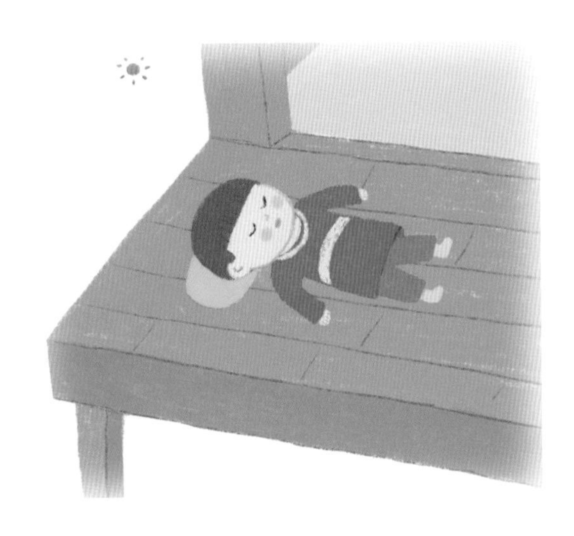

낮	잠

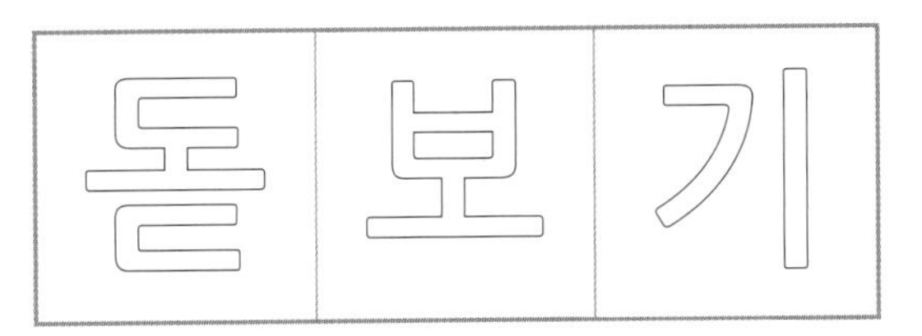

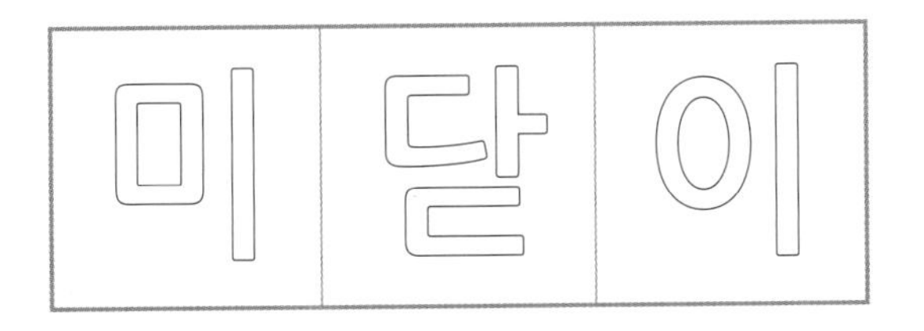

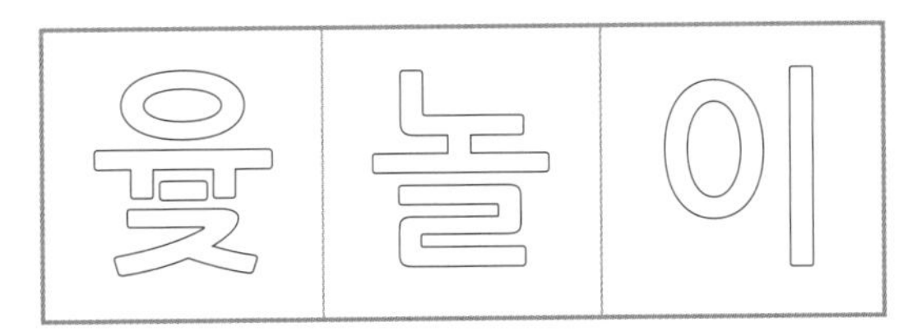

받침 "ㄷ", "ㅈ", "ㅊ" 붙이기

받침 "ㄷ", "ㅈ", "ㅊ"이 붙으면 어떤 글자가 되는지 읽고 따라 쓰세요.

받침 "ㄷ", "ㅈ", "ㅊ"이 붙어 만들어진 음절을 알맞게 따라 쓰도록 도와주세요. 그리고 각 받침에 따라 달라지는 글자의 발음에 주의하며 정확히 읽는 연습을 할 수 있도록 해 주세요.

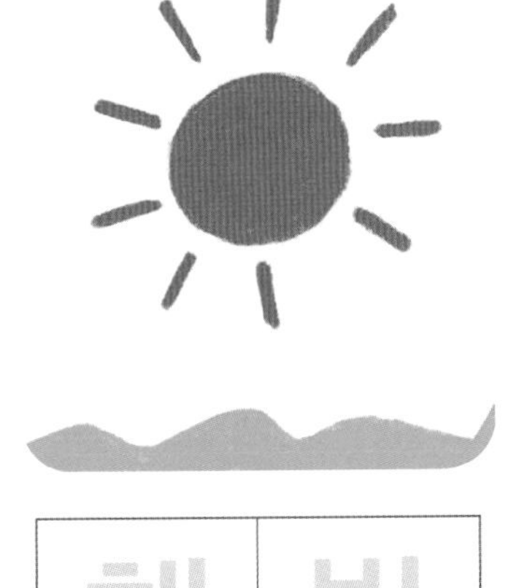

개	나	리	꽃

햇	빛

받침 "ㄷ", "ㅈ", "ㅊ"이 들어간 낱말 익히기

✪ 다음 받침 "ㄷ", "ㅈ", "ㅊ" 중 하나가 들어간 낱말을 따라 쓰세요. 그리고 낱말에 알맞은 그림을 찾아 선으로 이으세요.

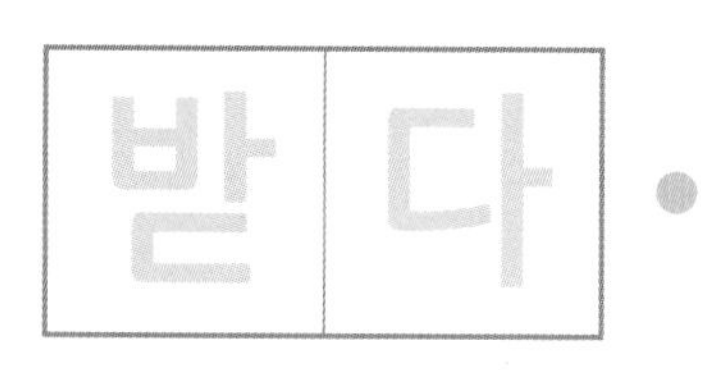

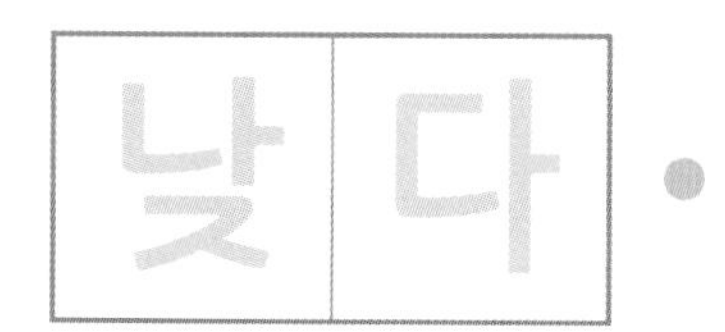

✪ 다음 그림을 보고 이름을 알맞게 쓴 것을 찾아 ○표 하세요.

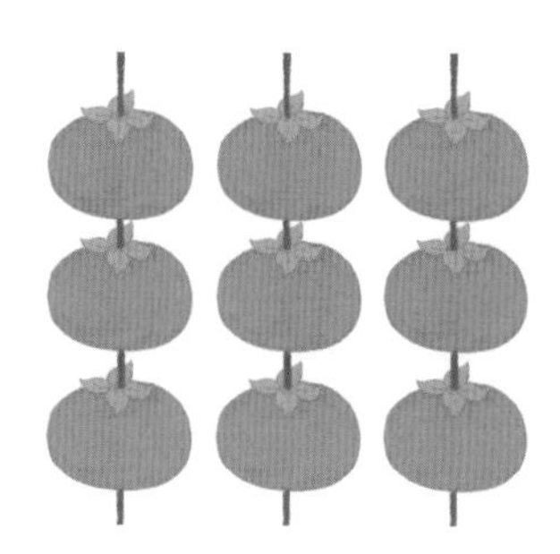

곶감
곱감

별빙
별빛

숙가락
숟가락

돛단배
동단배

빈칸에 들어갈 글자를 보기에서 찾아 쓰고 낱말 퍼즐을 완성하세요.

보기

받 젖 꽃

받침 "ㄷ", "ㅈ", "ㅊ"이 들어간 이야기 읽기

✪ 받침 "ㄷ", "ㅈ", "ㅊ"이 들어간 낱말을 살펴보면서 이야기를 읽어 보세요.

낮잠을 자는 나팔꽃에게 나비가 날아오네.

"나팔꽃아, 일어나 나에게 꿀을 좀 주렴."

나팔꽃은 일어나 "나비야, 내가 꿀을 주면 넌 나에게 무엇을 줄 거니?" 하고 묻네.

그런 나팔꽃에게 나비는 말하네.

"나는 너의 꽃가루를 받아 아주 먼 곳에 가서 퍼뜨려 줄게. 그럼 너는 그곳에서도 멋진 꽃이 될 거야."

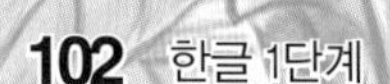

1. 다음에서 받침 "ㄷ", "ㅈ", "ㅊ" 중 하나가 들어간 낱말을 찾아 밑줄을 긋고, 받침 "ㄷ", "ㅈ", "ㅊ" 중 하나가 들어간 낱말에 알맞은 그림을 선으로 이으세요.

❶ 나팔꽃에게
나비는
말하네.

❷ 나는
너의 꽃가루를 받아
아주 먼 곳에 가서
퍼뜨려 줄게.

2. 다음 이야기에서 나온 받침 "ㄷ", "ㅈ", "ㅊ" 중 하나가 들어간 낱말을 알맞게 따라 쓰세요.

| 낮 | 잠 | 을 자는 | 나 | 팔 | 꽃 | 에게 나비가 날아 |

오네.

"| 나 | 팔 | 꽃 | 아, 일어나 나에게 꿀을 좀 주렴."

받침 "ㅋ", "ㅌ", "ㅍ", "ㅎ"을 알아보아요

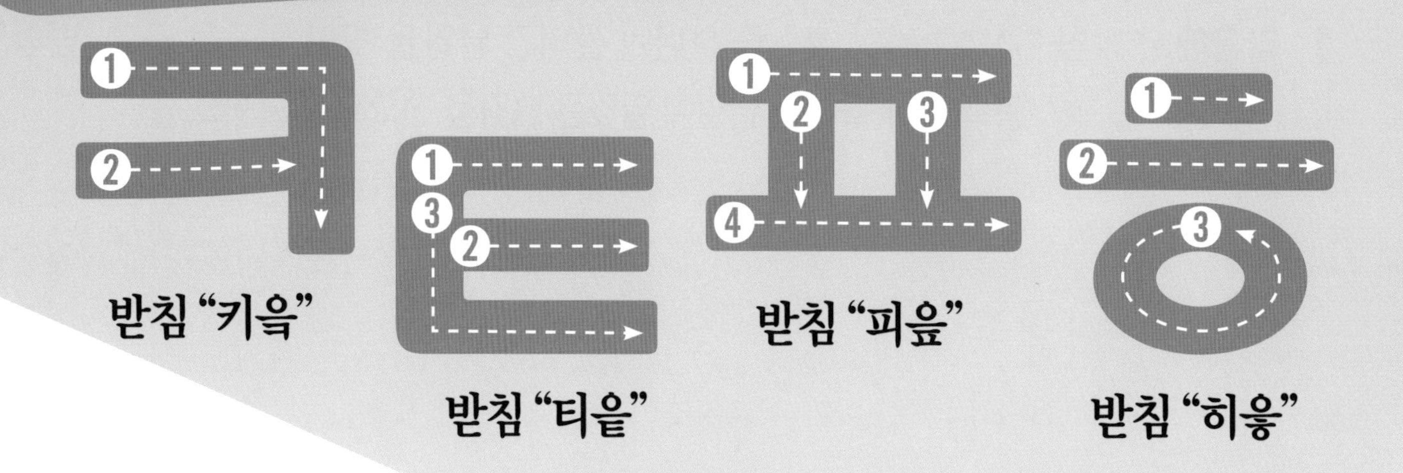

사막에서 목이 마른 친구가 물을 찾을 수 있도록 받침 "ㅋ", "ㅌ", "ㅍ", "ㅎ" 중 하나가 들어간 글자를 찾아 길을 따라가 보세요.

학부모 TIP 받침이 없는 낱말에 "ㅋ", "ㅌ", "ㅍ", "ㅎ"이 붙으면 받침이 있는 새로운 글자가 된다는 것을 알려 주세요. 그리고 그림에 나타난 "숲"을 [수], [수–웁], [숩]의 순서대로 읽어 보게 하세요.

받침 "ㅋ", "ㅌ", "ㅍ", "ㅎ"이 들어간 글자 찾기

받침 "ㅋ", "ㅌ", "ㅍ", "ㅎ"이 들어 있는 글자를 찾아 ○표 하고, 받침 "ㅋ", "ㅌ", "ㅍ", "ㅎ"에 색칠하세요.

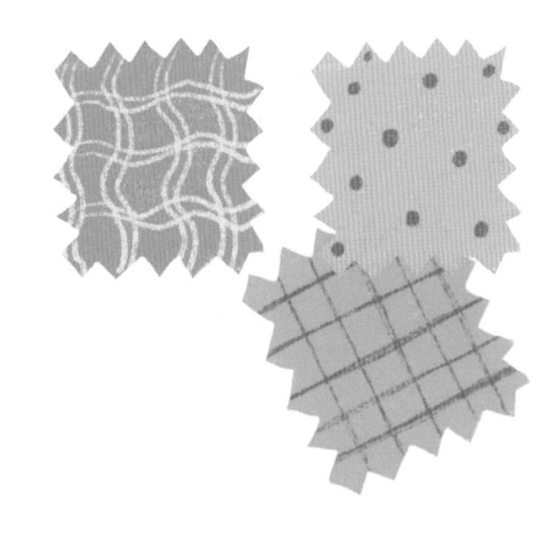

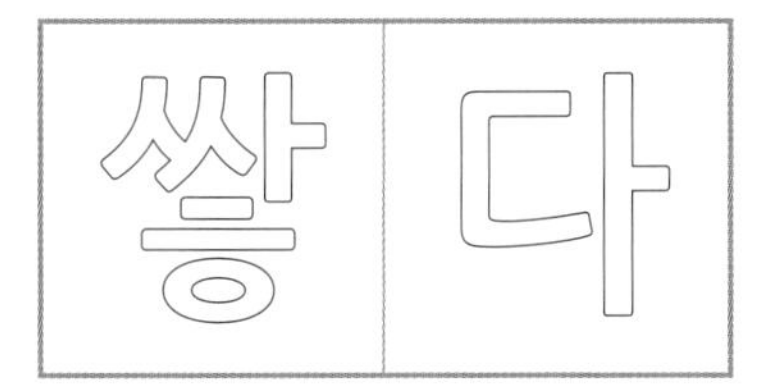

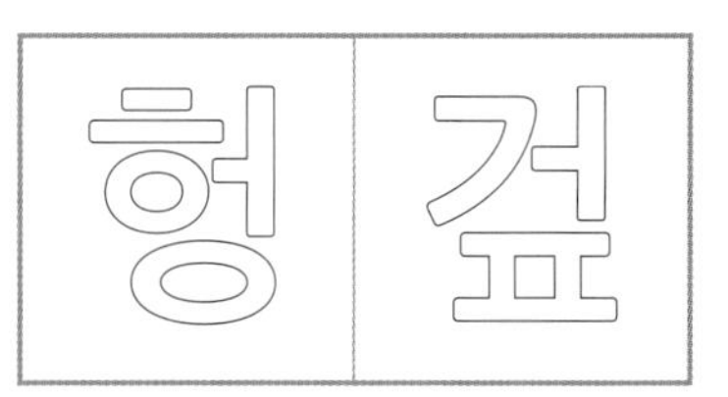

해	질	녘

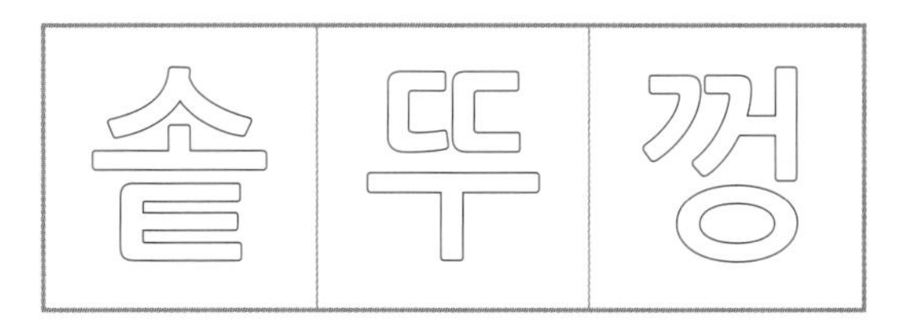

받침 "ㅋ", "ㅌ", "ㅍ", "ㅎ" 붙이기

받침 "ㅋ", "ㅌ", "ㅍ", "ㅎ"이 붙으면 어떤 글자가 되는지 읽고 따라 쓰세요.

들녘

받침 "ㅋ", "ㅌ", "ㅍ", "ㅎ"이 붙어 만들어진 음절을 알맞게 따라 쓰도록 도와주세요. 그리고 각 받침에 따라 달라지는 글자의 발음에 주의하며 읽는 연습을 할 수 있도록 해 주세요.

받침 "ㅋ", "ㅌ", "ㅍ", "ㅎ"이 들어간 낱말 익히기

다음 받침 "ㅎ"이 들어간 낱말을 따라 쓰고, 각 낱말에 알맞은 그림을 찾아 선으로 이으세요.

빨	갛	다

노	랗	다

하	얗	다

다음 그림을 보고 이름을 알맞게 쓴 것을 찾아 ○표 하세요.

솥
솓

숲
숩

빈칸에 들어갈 글자를 보기 에서 찾아 쓰고 낱말 퍼즐을 완성하세요.

받침 “ㅋ”, “ㅌ”, “ㅍ”, “ㅎ”이 들어간 이야기 읽기

✪ 받침 “ㅋ”, “ㅌ”, “ㅍ”, “ㅎ”이 들어간 낱말을 살펴보면서 이야기를 읽어 보세요.

부엌에 들어가요. 바닥에 조그맣고 동그란 것들이 굴러다녀요. “이게 뭐지. 염소 똥인가?” 그러자 옆에 있던 친구가 말해요. “아니야. 저건 팥이야.”

“팥이라고?”, “그래, 내가 먹어 볼게.”

동그란 것을 입에 가득 넣은 친구는 울상을 지어요.

“악, 이건 토끼 똥이야!”

1. 다음에서 받침 "ㅋ", "ㅌ", "ㅍ", "ㅎ" 중 하나가 들어간 낱말을 찾아 밑줄을 긋고, 받침 "ㅋ", "ㅌ", "ㅍ", "ㅎ" 중 하나가 들어간 낱말에 알맞은 그림을 선으로 이으세요.

❶ 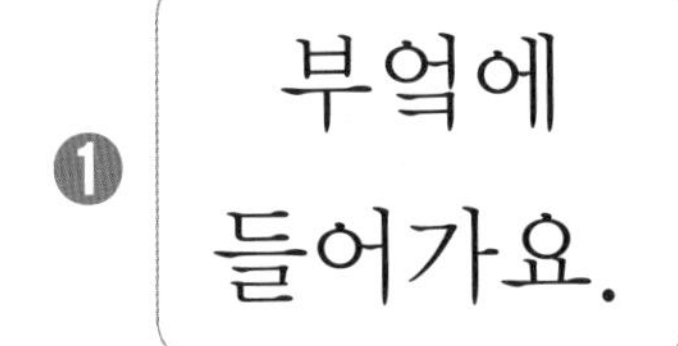

❷ 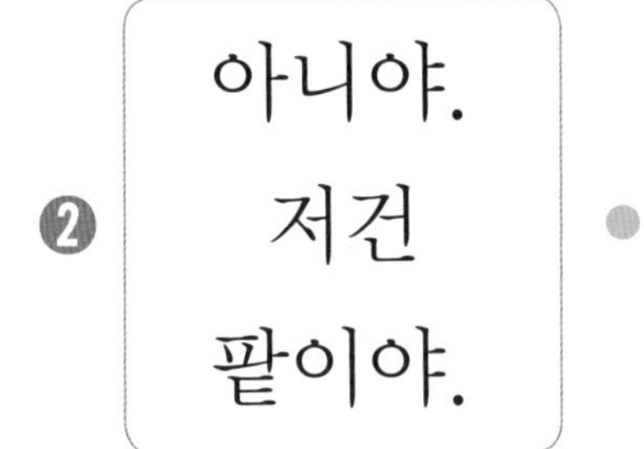

2. 다음 이야기에서 나온 받침 "ㅋ", "ㅌ", "ㅍ", "ㅎ" 중 하나가 들어간 낱말을 알맞게 따라 쓰세요.

[부][엌]에 들어가요. 바닥에 [조][그][맣][고] 동그란 것들이 굴러다녀요. …… 그러자 [옆]에 있던 친구가 말해요. "아니야. 저건 [팥]이야."

참 잘했어요

이름 ______________________

위 어린이는 7세 초능력 한글 1단계를
성실하고 훌륭하게 마쳤습니다.
이에 칭찬하여 이 상장을 드립니다.

년 월 일